W9-BPL-256

Los casos de la doctora
Anabel Ochoa

Los casos de la doctora
Anabel Ochoa

Prólogo de Josu Iturbe

AGUILAR

De esta edición:
D. R. © Santillana Ediciones Generales, S.A. de C.V., 2009.
Av. Universidad 767, Col. del Valle.
México, 03100, D.F. Teléfono (52 55) 54 20 75 30
www.editorialaguilar.com

Primera edición: junio 2009

ISBN 978-607-11-0228-7
Fotografía: © Carlos Contreras de Oteyza
Diseño de cubierta: Diego Medrano
Cuidado de la edición: La Buena Estrella Ediciones, S.A de C.V.

Impreso en México

ANABEL OCHOA

in memóriam

A quienes se quedaron

sin respuestas

Contenido

Prólogo, por Josu Iturbe. 13

CASOS DEL CUERPO

Cambiar de agujero 17
¿Cuántos orificios tiene la mujer? 19
Dicen que duele la primera vez 21
Dicen que todos lo han probado .23
Dudas de un inexperto 25
Embarazo y sexo oral 27
¿Emergencia o día siguiente? 29
¿Eyaculan las mujeres? 31
Gays y genética 34
Me avergüenza mi pene. 37
Me desmayo de gusto 40
Me exige coito anal 42
Me retiro a tiempo. 45
Miedo a desnudarme 47
No me sirve ser fiel. 50
No sangró y no le creyó 52
Parezco hombre en la cama 54
Pene desviado 56
¿Puedo estar embarazada? 58
Quiero ser tardada 60
Sexo menstruando 62
SIDA y virginidad 64
Susto con la "píldora de emergencia" 66

Casos de la mente

¿A qué edad aparece la impotencia? 71
Enferma de culpa 73
Fracasé al primer intento 77
Juguetes o al natural 79
Macho travesti 81
Me cachó en internet 84
Me masturbo como chango 87
Mi pene está dormido 90
No quiero que se me note 92
Obsesión sexual 94
Parece que no respondo al sexo 96
¿Por qué ya no es igual? 98
Quiere más semen 100
Quiere verme con otro 102
Quiero sexo natural 104
Sólo fallo en casa 107
¿Somos perversos? 109
Soy calenturiento, homofóbico y machista 112
Vestirme de mujer 116
Volver a ser virgen 119
Yo quiero ser la otra 121

Casos de amor

Es duro ser hombre 125
Inocencia y boda 128
Lesbiana perseguida 131
Para los gay soy poco 134
Quiero cambiar a un gay 136

CASOS DEL ALMA

Aconsejan que mejor disimule 141
Ayudar a una lesbiana 144
Confesar a los padres 145
¿Cuándo voy a morir? 147
"Cuerno" y bisexualidad 150
Decirle a mis padres que soy gay 152
Desde la casa chica 154
La soledad de un campesino "raro" 157
Matrimonio gay 160
Me dice que no sirvo 163
Me harta el ambiente gay 166
Mi amiga lesbiana se pasa 168
Mi esposa es lesbiana 171
Soy un golpeador, ¡ayuda! 174
Swinger y traición 177
Violaron a mi hija, ¡socorro! 180

PRÓLOGO

Josu Iturbe

Escribir este prólogo para el último libro de Anabel Ochoa (ella hubiera preferido decir: *mi nuevo libro, no el último)* se hace un poco cuesta arriba. Pero como escribí los prólogos de todos sus libros (menos uno, que hizo Diana Lein), en realidad una docena larga de introducciones, pues no me queda más remedio que ponerme al teclado y volver a hacerlo.

Los casos de la doctora Anabel Ochoa es una selección de testimonios, de problemas de índole sexual, pero también amorosa, entresacados de las miles de consultas que recibió Anabel a lo largo de más de quince años de estar en los medios. Las historias, algunas auténticas novelas, llegaban primero por carta (¡qué tiempos aquellos!) y luego por correo electrónico, a los sucesivos programas de radio o televisión en los que participaba con gran éxito. A partir de estas comunicaciones, convenientemente editadas, Anabel proponía las respuestas expresando sus ideas con un lenguaje muy gráfico y de gran riqueza oral, que era su fuerte; es decir, escribir como se habla, de forma directa, sin temor a equívocos: pura efectividad. Percibirán en este libro que, al leer a Anabel, se le puede escuchar también. Cualquiera que la haya oído por radio o visto por televisión comprobará qué fácil y qué delicioso es evocar su voz tras las palabras impresas.

Una parte sustancial de estos casos se publicaron en forma serial en la efímera revista *Desnudarse,* un proyecto irrepetible sobre cultura sexual que bajo los auspicios de la doctora aguantó tres años. Rescatadas, ordenadas y pulidas estas cartas y estas respuestas nos remiten a la mejor Anabel Ochoa, a la genial comunicadora que sin pelos en la lengua vuelve a tronar contra la ignorancia, a levantar la voz para clamar contra la discriminación y el abuso, a gritar sin pena contra el machismo cerril, todo eso y mucho más está detrás de las letras de molde, negro sobre blanco, impresas en las páginas de este libro que tenemos el placer de presentar.

En los programas de radio yo era el encargado de seleccionar las preguntas que le pasábamos a cabina, convenientemente anotadas en rojo, y reconozco que a veces le daba llamadas sólo para verla brincar cuando sabía que determinados temas o actitudes la sacaban de quicio. Mucha gente, ustedes lo saben, intervenía en el programa sólo para ser regañado por Anabel Ochoa. Ella nunca quería ver las preguntas antes, las leía al momento de contestarlas, eso le daba una frescura maravillosa, yo creo que ella confiaba en su instinto (y en su saber enciclopédico) más que en cualquier otra cosa. Tal vez sospechaba, seguro, que si se le daban muchas vueltas a un asunto se perdería la espontaneidad de lo verdadero.

Siempre, desde el primer programa en que apareció, quedaron cientos de miles de cartas, llamadas, faxes y correos electrónicos sin contestar, era imposible atender a todos. Sacábamos adelante, *mea culpa*, lo más urgente, lo más sintomático, lo que podía servir a un mayor número de oyentes, lo chocante también, lo que nos diera una visión más clara de lo que el sexo es en realidad en nuestra sociedad. En su último programa, a mediados de octubre de 2008, teníamos en espera más de ocho mil consultas. Este libro es un poco una compensación por los casos que no se pudieron resolver o canalizar, tal vez muchos de ellos se vean reflejados en estos cuestionamientos, en estos consejos y comentarios. Una antología de los temores, las enfermedades, las perversiones, pero también del amor, la compasión y el conocimiento. Perfectos ejemplos para comprender la diversidad de la problemática sexual en nuestro país en los últimos tiempos, perfectos ejemplos para seguir hablando de la sexualidad humana, y para que el silencio no nos mate.

CASOS DEL CUERPO

CAMBIAR DE AGUJERO

*Amira, 21 años, estudiante de administración de empresas,
Distrito Federal*

Me da mucha pena lo que voy a contarle, pero no tengo a quién recurrir. Mi novio y yo disfrutamos de una muy intensa vida sexual. Hace poco hemos empezado a practicar el coito anal y he de confesar que, aunque me dolió al principio, me gusta. Sobre todo me gusta compartir con él más allá de los límites. Pero resulta que a veces hace una penetración anal y, antes de terminar va a mi vagina directamente. Me preocupa si esto puede ser bueno porque intuyo algo sucio en esta escena. No le pido su opinión moral, ése es asunto mío, pero sí su criterio médico en cuanto a esta práctica.

La doctora responde...

No te falla tu intuición, amiga. En efecto, es una mala práctica de higiene que puede traer infecciones muy molestas. El recto, el intestino, está lleno de sustancia fecal, la misma que nos asusta en unas manos sucias, en el agua de riego de lo que comemos o cuando sopla el viento, porque se respira cuando hay restos al aire libre. Por tanto, en esta situación el pene está haciendo de fatal varita mágica transportando gérmenes del recto a la vagina, zona delicada por excelencia. No puede ser.

Si se practica el coito anal y se cambia luego de destino, hay que lavarse absolutamente con agua y jabón para eliminar restos entre uno y otro paso. Si se está usando condón —que es lo más recomendable— entonces cambia de condón para cada maniobra. En general, para el coito anal, sea entre quien sea, siempre es mejor utilizar condón porque también a través del orificio de la uretra del pene pueden infectar los restos fecales. Coméntalo con él, seguro que no se dio cuenta pero estará de acuerdo, es cuestión de sentido común.

Cambia de condón para cada maniobra.

¿CUÁNTOS ORIFICIOS TIENE LA MUJER?

Federico, estudiante, 18 años,
Veracruz, Veracruz

A pesar de que soy bastante joven ya he tenido unas cuantas relaciones sexuales, aunque la verdad no creo que me haya enterado de mucho. Lo digo sobre todo porque asistí a un curso de sexualidad y me quedé sin habla. Un ginecólogo nos mostró unas imágenes de cómo era el aparato genital femenino y aún no salgo de mi asombro.

No me refiero a los órganos internos (ovarios, matriz, etcétera), que esos al fin, como los míos, tampoco los había visto. Yo hablo de sus genitales externos ¡qué sorpresa! En las relaciones que tuve nunca me atrevía a mirar ahí abajito con detalle, es más, no vi nada porque fue siempre en lo oscurito, siempre rapidito y ni modo de que empezara a explorar a la chava entre las piernas y a preguntarle qué es esto o lo otro, se me hace mala onda. Lo chistoso es que hablando con los cuates más expertos, tampoco han visto de cerca tanto misterio femenino. Pero ahora viene lo peor, doctora, porque yo le pregunté a una amiga a quien le tengo mucha confianza y ella me dijo que tampoco sabía que su propio cuerpo tenía tanto agujero. Me refiero a que el doctor explicó que no es como en los hombres, que ellas tienen un orificio para orinar y otro para la menstruación. Yo me pregunto ¿por cuál de ellos tienen el sexo y qué pasa si te confundes de agujero? Acláreme este lío, doctora, porque si la chava tampoco sabía, a lo mejor el doctor estaba loco y nos vio la cara a todos.

La doctora responde...

Tranquilo, Federico. El doctor ni estaba loco ni les vio la cara. Pero por desgracia somos nosotros quienes nunca hemos visto la cara del amor, el cutis chiquito. La mujer no se lo ve por la postura y además tiene miedo de explorar su cuerpo en un espejo, cosa que debería de hacer. El hombre por su parte cree que una mujer es como él pero con el pene cortado. Pues fíjate que no. El hombre tiene en el pene una especie de multiusos que parece servir para todo: con un solo orificio a veces orina, a veces eyacula, por el mismo. Cuando el pene está en reposo los conductos que van por su interior encuentran las válvulas y se abren otras hacia los testículos y la próstata para el semen, de modo que el mismo orificio servirá para eyacular. Como ves el pene sirve para todo: para orinar, para eyacular, para presumir y para acomplejarse. En cambio, en la mujer cada cosa es para cada función, todas ellas, bien separaditas y especializadas. En la vulva femenina si abrimos los labios vaginales y empezamos desde arriba, desde el vello del pubis y vamos descendiendo en línea recta, encontraremos diversos tesoros. Lo primero, el clítoris, como un botoncito, más bien un pene diminuto que sirve sólo para el placer, para tener orgasmos. Debajo de él, un pequeño orificio es el meato urinario, que comunica con la vejiga y sólo sirve para expulsar la orina, y tan chiquito que no tendrás preocupación alguna en confundirte: jamás podrías introducir ahí un pene. A continuación está el orificio de la vagina mucho más grande, por donde sale la menstruación y por donde entra el pene en la penetración sexual, que sólo comunica con la matriz al fondo. Finalmente está el orificio del ano exacto al del hombre, que comunica sólo con el intestino y es para defecar, pero hay quien le da mayores usos de entrada en ambos sexos. Espero te sea de utilidad este mapa descriptivo, y por cierto, aprovecha para explicarle a tu amiga lo que tiene entre las piernas. Cuando hagas el amor déjate de lo oscurito y rapidito, mejor hazlo con lucecita y lentito, y pregunta, aprende con tu pareja, de seguro te dará las gracias y deja que ella haga lo mismo con tu cuerpo. Evitando el analfabetismo sexual valoraríamos mucho más lo divino y mágico de nuestro cuerpo, que desconocemos.

DICEN QUE DUELE LA PRIMERA VEZ

Rogelio, 18 años, estudiante,
Ciudad Juárez, Chihuahua

Soy un hombre virgen aún, me gustaría que fuera por poco tiempo, pero no sé dónde pedir consejo y ¡ya sabe! uno recurre a lo que tiene a la mano, a la experiencia de los otros que ya pasaron por esto. Le pregunté a mi primo de 20 años y me dijo cosas terribles de la primera vez que un hombre tiene sexo. Me dijo que el pene duele, que se rasga, que sangra, y que de inmediato te arrepientes de haberlo hecho porque el cuerpo del joven no está preparado para esto hasta que no adquieres madurez, y que además le quedó un colgajo de pellejo en el pene muy feo por hacerlo antes de tiempo. Su comentario me dejó aterrorizado, porque yo hasta ahora había oído hablar del dolor de las mujeres al dejar de ser vírgenes, pero no de una cosa así en los hombres. ¿Es cierto, doctora? ¿Por qué no nos advierten de esto y nos engañan diciendo que sólo es placer para nosotros? Yo, la mera verdad, ya no sé quién me está engañando. Hasta se me quitaron las ganas.

La doctora responde...

Mi buen amigo Rogelio, el problema es que al preguntar a alguien por su experiencia personal te comes eso exactamente: su experiencia personal, y no la cultura, que son las múltiples posibilidades de todo. Creo que tu primo tuvo un problema concreto que ni siquiera ha terminado de comprender y que no tiene que ver directamente con el encuentro sexual sino con su pene, con que su pellejito era corto y padecía de algo que los médicos llaman "fimosis", es decir que necesitaba cortarlo y hacerse la famosa circuncisión. Al no entenderlo, al no saberlo, se metió a tener sexo con su instrumento incapaz y, en efecto, con el frotamiento se le desgarró. Hubiera bastado que se operara de este problema —más que común— para que no le ocurriera semejante cosa. Pero que no haga filosofía de su problema, que no generalice. Es algo así como si preguntas a un ciego si es bueno caminar y te dice que no, que chocas contra las puertas, que mejor te quedes quieto ¿me explico? El acto sexual no es doloroso para el hombre si su pene está en condiciones, es decir, si el pellejito (prepucio), el cuerito, se puede deslizar cómodamente hacia abajo y deja descubierta la cabeza del pene (glande). Y este asunto no es cuestión de madurez, ni física ni psicológica, créeme. Al contrario, si el problema existe no se cura solito al crecer sino que cada vez dará más problemas, o se rompe de plano y en mal sitio como le pasó a tu primo. No quisiera que vivas el sexo como algo amenazante ni doloroso. El sexo es un premio del adulto, y hay que ganárselo siendo responsable y teniendo la información suficiente para las consecuencias de ejercerlo, pero no miedo. Aun en el caso de las mujeres en que puede doler el romper la membrana del himen, te planteo lo siguiente: si fuera tan doloroso ¿entonces cómo explicas que todas lo hagan? Que no te digan, que no te cuenten. Pero eso sí, no tengas prisa, espera a buscar el momento ideal de tu vida, la persona adecuada, para que sea un recuerdo hermoso en vez de un drama como el de tu primo. Y si el pene da problemas, examínalo antes y el urólogo te los resuelve. El sexo es un placer, ejércelo bien.

> *...no tengas prisa, espera a buscar el momento ideal de tu vida.*

DICEN QUE TODOS LO HAN PROBADO

Anita, 23 años, estudiante de psicología,
Distrito Federal

Aún no tengo vida sexual pero estos temas me interesan, me inquietan y trato de saber lo más posible para estar preparada cuando llegue el momento. Tengo muy buenos amigos hombres, y aprovecho cada vez que puedo para platicar de estas cosas, porque la verdad no creo que sea una fuente muy seria el preguntar de los hombres a mujeres y viceversa. Precisamente en una de esas pláticas con un amigo acerca de la homosexualidad masculina surgió el tema de por qué hay tantos ahora y de por qué conozco a varias chavas que descubrieron a su pareja con un hombre. Yo quería saber qué tan normal es esto, o mejor dicho, qué tan frecuente (ya sé que usted regaña con lo de "normal" y "anormal"). Este amigo me dijo que todos, absolutamente todos los hombres, han probado la relación sexual entre ellos, precisamente para definirse y saber si les gustan las mujeres. ¿Será cierto, doctora?

La doctora responde...

Bueno, amiga, no sé como decírtelo. Aquí lo único que es cierto es que tu amigo sí probó, pero de ahí a que elabore semejante teoría general, hay un abismo. Que no invente ¿si? Según esta teoría, para saber quién es uno hay que probar de todo, como si fuéramos tontos. En efecto, esta filosofía tuvo mucho eco durante los sesenta, pero hoy parece una broma. Si ampliamos esta teoría generosa y por la misma razón, entonces, tendríamos que probar perros y ovejas para saber si somos zoófitos, niños para saber si somos pedófilos, ancianos para descartar lo gerontófilo, muertitos no vayamos a ser necrófilos, o golpear a alguien para saber si somos sádicos, lo mismo que dejar que nos surtan para saber si le entramos al masoquismo, disfrazarnos del otro sexo para saber si somos travestis, o, puestos así ¿por qué no?, vender nuestro cuerpo para saber si nuestra vocación es el sexoservicio. No amiga, el cerebro humano no es así. Nuestra vida no es tan amplia como para probarlo todo y a partir de ahí ir escogiendo: todos los temperamentos, todas las tendencias, todas las carreras, todos los climas, todos los países y culturas, todos los carros y todas las parejas. La mente humana aprende y se define con un proceso intelectual llamado "generalización", mediante el cual se escogen cosas no experimentadas y se va seleccionando el camino propio. Efectivamente la educación de una mascota requiere experimentar cada situación, una por una, pero no la de una persona.

Es decir, para no ser racista no necesitas encarnar a un negro, sino simplemente pensarlo. Por tanto, eso de que todos... ¡a otra con ese cuento! Lo único ciertamente honesto de este asunto es que posiblemente algunas personas en su adolescencia tengan experiencias sexuales de cualquier tipo por la búsqueda de definiciones personales, y sobre todo porque de chiquitos es más fácil y a la mano tener sexo entre un hombre y sus amigos (y una joven con sus amigas) que con el sexo contrario en edades tempranas. Estas experiencias no se consideran definitorias de orientación sexual sino mera experiencia. Pero ni les ocurre a todos ni hablamos de lo mismo que justifica tu amigo ¿no crees?

> *Nuestra vida no es tan amplia como para*
> *probarlo todo...*

DUDAS DE UN INEXPERTO

Fidel, 19 años, estudiante,
Monterrey, Nuevo León

A veces nos da pena preguntar lo que no sabemos. Pero lo cierto es que las preguntas sólo sirven para eso, entonces ¿para qué disimulamos? Dicho esto, y conteniendo el pudor de mi inexperiencia, le quiero preguntar una serie de cosas que me atormentan:

1) ¿En qué momento me pongo el condón? Aunque le parezca una estupidez, no lo sé.

2) ¿En qué momento me lo quito? Ya sé que parece otra estupidez, pero tampoco lo sé.

3) ¿Se pone igual si tengo la circuncisión que si no la tengo? Yo no la tengo.

Si me aclara esto seré feliz, porque entienda, doctora, que no puedo llegar a la farmacia preguntando esto. Tampoco con mi padre ni mi mamá, y ya decidí que menos con los amigos que me responden puras estupideces.

Prefiero así. Agradezco si me responde.

La doctora responde...

Te sobra razón, amigo. Tus cuates no siempre son los más informados, sino a veces son los mismos que perpetúan errores porque nadie tuvo los pantalones de preguntar.

No te preocupes por la pena, dice el refrán que "más vale ponerse una vez colorado que cientas amarillo". Siento que tu pregunta sirve para un montón de personas que tienen las mismas dudas y ahí se quedan, confundidos en silencio y a veces malogradamente experimentados. Vamos a ellas, que preguntar es de sabios.

1) El condón se pone una vez que el pene está erecto, paradito, no antes. No te preocupes porque esto rompa el encanto, no es cierto. El encanto de nuestros tiempos es saber que te cuidas y que cuidas a tu pareja, no hay otro más operante fuera de romanticismos estériles. Lo mismo que hay que emplear un tiempo en quitarte la ropa (porque no llegas encuerado), pues también hay que emplear otro espacio en ponerte la ropa del amor, el condón, "algo ilustre" si piensas que te vistes para la ocasión. No somos animalitos "a pelo", somos humanos conscientes. No te traumes por este lapso, al contrario, presume de ello y juega con tu pareja a ponerlo.

2) El condón hay que retirarlo inmediatamente después de eyacular, cuando el pene todavía está erecto y paradito. No hagas la estupidez de quedarte dormidito adentro porque el pene se vendrá abajo, se quedará chiquito, y entonces el condón se zafa y se vacía, con lo cual la protección no habrá servido de nada. Tras llegar al orgasmo, agarra el condón desde la base de tu pene y lo retiras lleno del eyaculado, así no hay problemas. Luego si quieres vuelves al abrazo, que por cierto es muy rico.

3) Si no tienes hecha la circuncisión, conviene que te descapulles el pene antes de poner el condón. Es decir, que retires hacia atrás la piel de la cabeza del pene de modo que lo dejes libre para eyacular dentro de él y no asfixiado. Pura lógica, ¿ok?

Gracias por preguntar, gracias a nombre de los silenciosos que hacen tonterías en silencio.

Te admiro, amigo.

...preguntar es de sabios.

EMBARAZO Y SEXO ORAL

Amalia, 32 años, profesora,
Monterrey, Nuevo León

Hola Anabel. Te sigo por donde vayas porque mi labor educativa requiere de tu ayuda. Trabajo en una escuela de bachillerato con alumnos que estudian desde enfermería hasta contabilidad pasando por turismo, entre otras cosas.

En mi centro hay un profesor que se dice médico militar (hasta dudo que lo sea). Les dijo a los chavos que una mujer si es muy fértil se puede embarazar con el sexo oral. Él explicó la historia siguiente: un hombre que eyacula en la boca de una mujer; después ella le da un beso en la boca y le pasa su propio semen a él; a continuación él le hace a ella sexo oral y le pasa el semen a la vagina de manera que con su lengua la embaraza. Los alumnos están asustados y confundidos, pero como él es un especialista lo creen. Los profesores estamos convencidos de que esto no puede ser así, por eso hemos recurrido a ti, porque sabemos que eres científica y honesta, y sobre todo que los chavos creen en tus palabras por encima de todo, nosotros también. Gracias, doctora, soy una profesora desesperada por el sitio que se le da a la ignorancia disfrazada de docencia.

La doctora responde...

Gracias amiga profesora por desconfiar de lo que no consideras enseñanza. Creo que esta vez le atinaste con tu intuición. Hay explicaciones del funcionamiento de la sexualidad que huelen a siniestras por sí mismas, y este caso es uno de ellos. Partamos de lo físico antes que de otras consideraciones. La boca mata los espermatozoides de inmediato con la saliva porque no es un medio adecuado para su supervivencia. Estas células masculinas son muy débiles, no son moscos que vuelan ni entes prodigiosos que embarazan fuera de su lugar. De hecho, aún en la vagina mueren millones de ellos y sólo uno embaraza, por eso se eyacula en gran cantidad. Si además pensamos que se pasan de boca a boca luego en un beso, pues menos aún para que sigan activos. Para colmo, este profesor se plantea llevarlos luego de ahí a la vagina… ¡por favor! Los espermas que embarazan en la vagina son sólo aquellos que son inyectados a presión dentro de ella con el espasmo eyaculatorio para que asciendan y suban con fuerza por la matriz y las trompas hasta encontrar el óvulo. Esta teoría de embarazo con la boca realmente es un delirio que carece de cualquier fundamento científico. Pero me temo que, además esta persona relató todo este circuito truculento tratando de excitar a los chavos con escenas eróticas y por ninguna otra cosa, ¡no se vale! La información para los jóvenes ha de ser sobre todo básica y veraz. Habrá que instruirlos en los procedimientos elementales del embarazo, en la comprensión de los mecanismos del cuerpo humano, y luego ya entramos a otro tipo de juegos amorosos, que por cierto ninguno de ellos embaraza aunque sí pueden contagiar cosas. Me suena truculenta esta explicación además de absurda y mentirosa. No hace falta construir novelas complicadas con la sexualidad sino aprender lo básico. A partir de ahí, con el razonamiento ampliaremos el entendimiento a todo lo demás que es lo de menos, y no al revés. Yo creo que convendría vigilar a este profesor porque igual no es inocente su manejo de la teoría de la sexualidad, y por desgracia está ocupando un lugar de poder entre los jóvenes que no merece en este aspecto. Si está desinformado que se informe antes de generar teorías bizarras. Si está enfermo que se cure antes de ser docente. Los chavos necesitan claridad para crecer sanos, no siniestros recovecos de alguien que proyecta su trauma personal sobre ellos.

> *La información para los jóvenes ha de*
> *·r sobre todo básica y veraz.*

¿EMERGENCIA O DÍA SIGUIENTE?

Ana Bertha, 39 años, secretaria,
Distrito Federal

Supe que mi hija de 19 años ha tomado la píldora de emergencia. Ella me tiene confianza y me lo ha platicado, pero por primera vez no sé qué decirle a pesar de considerarme una mujer preparada y al día. Me preocupa terriblemente porque en estos días hablan de que sí es abortiva. Por otro lado estoy confundida; no sé si es lo mismo cuando hablan de píldora de emergencia y píldora del día siguiente. Hay veces que las noticias son confusas y a eso no hay derecho. A usted todos le entendemos, doctora, porque es clara, directa y transparente. Ayúdeme. Quisiera que usted me diga qué opina al respecto y cómo debo platicar con mi hija.

La doctora responde...

Estamos hablando de la misma pastilla cuando la nombramos como "píldora de emergencia", "píldora del día siguiente", "del día después" o "píldora post-coito".

Pero hace algunos años hubo un acuerdo internacional para eliminar del lenguaje comunicacional estos últimos nombres y en adelante nos referimos a ella exclusivamente como "de emergencia". Esto se hizo precisamente para remarcar que se debe usar en situaciones extraordinarias, no ordinarias, que no es un método de planificación familiar ni de rutina anticonceptiva sino literalmente de emergencia: desde luego una violación, pero también un condón roto, un olvido de píldora diaria, o una situación extraordinaria que puede ser muy variable según la vida de la persona, más le las mujeres por taras culturales. Fuimos conscientes de que el lenguaje no es inocente, y si la referimos simplemente como "del día siguiente" podríamos transmitir el falso mensaje de que: primero tengo relaciones sin protección, y al día siguiente me tomo la píldora y ¡ya! No me explico cómo los medios de comunicación no están al tanto de estos acuerdos de salud comunitaria y nuevamente vuelven a hablar en términos ya desechados confundiendo —efectivamente como tú bien dices— aún más a la opinión pública. En realidad no se trata de un fármaco nuevo sino que es la misma píldora anticonceptiva clásica pero tomada en dosis masivas inmediatamente después de una relación de riesgo. Lo que hace es evitar el embarazo antes de que se produzca, ya que éste no ocurre en el momento del coito sino que tenemos un margen hasta de 72 horas posteriores para impedirlo. Evitarlo es evitar un hijo no deseado, que presumiblemente llevará —al igual que la madre— una mala vida si aún tiene la suerte de no ser abandonado; o evitar un aborto autogestionado que suele costar la vida a ambos. Protege del embarazo, pero no del SIDA ni otras infecciones y es importante señalarlo. Este manejo de la píldora de emergencia impide que espermatozoides y óvulo se encuentren y, en el caso más extremo, aunque lo hicieran, impide la anidación del huevo en el útero. Si manejamos el lenguaje con propiedad no es abortiva, puesto que no rompe ningún embarazo; clínicamente, embarazo sólo hay cuando el huevo anida en la matriz de la madre, no antes. De hecho, si una mujer ya está embarazada y toma la píldora, no surtirá ningún efecto, por tanto no es abortiva aunque quieras. Más bien trata de evitar abortos. No hay que confundirla con otra píldora que sí es abortiva, la RU-486 francesa, que ni siquiera existe en México.

No dejes de consultar para poder seguir platicando con tu hija porque ése es el mejor don que puedes tener como madre.

> *No me explico cómo los medios de comunicación no están al tanto de estos acuerdos de salud comunitaria...*

¿EYACULAN LAS MUJERES?

*Edgar, 31 años, abogado,
Distrito Federal*

La palabra eyaculación siempre la he asociado a los hombres y presumo de tener cierta cultura sexual; sin embargo, acabo de conocer a una mujer que me está haciendo cambiar de idea. Nuestra relación es fogosa, tremenda, como nunca antes nos había pasado a ninguno de los dos con otras parejas anteriores.

Casi hasta miedo me da porque nos encerramos por días para tener sexo y nos olvidamos del tiempo y del mundo. No sólo eso, además la amo, pero mi pregunta no es afectiva, sino de índole sexual. Y nos ha ocurrido un par de veces en que ella al momento del orgasmo, intensísimo por cierto, suelta una cantidad de líquido impresionante. No me refiero a la simple humedad vaginal, sino a emitir un verdadero río de líquido tan copioso o más que mi eyaculación; moja la cama y a mí como si se hubiera hecho "pipí", pero no huele. Ambos estamos muy sorprendidos. Un amigo me dijo que hay mujeres que eyaculan, que lo vio en una página de internet, y yo esto no sé si es bueno o malo, si debo de estar contento o preocuparme de que ella tenga alguna alteración hormonal y funcione sexualmente como hombre. Por eso, para salir de dudas y dejarme de chismes, prefiero consultarle a usted que siempre es clara y científica.

La doctora responde...

La palabra eyaculación viene del latín *ejaculatio*, que significa lanzar fuera, expulsar. Es por ello que se le aplica exclusivamente a la salida del semen masculino y no a la mujer. En general, las damas lo que tienen es lubricación, pero no al momento del orgasmo sino desde el principio de la excitación, precisamente para facilitar la entrada del pene en la vagina, para que deslice fácilmente y no hacerlo doloroso, como cualquier máquina, como cualquier motor que requerirá un lubricante allí donde dos piezas tengan roce. Esto es un principio de mecánica básica, el cual aplica para el cuerpo. En general —insisto— al momento del orgasmo, la mujer no emite nada apreciable o diferente de esta lubricación que la acompaña desde el principio del acercamiento sexual. De hecho, la lubricación femenina de la que hablo no es equivalente a la eyaculación masculina, sino que corresponde a la erección del hombre.

Es decir, que la humedad vaginal es el primer signo de excitación de la mujer en el cortejo erótico cuando el cerebro de ella desea el sexo, lo mismo que la erección lo es en el hombre. Pero tú me hablas de una emulsión abundantísima especialmente al momento del orgasmo.

Efectivamente se da en algunas mujeres y no siempre, sólo en algunos casos. Algunos autores le han llamado a esto "eyaculación femenina", y aunque sea literalmente "lanzar" yo no estoy muy de acuerdo con el término porque tiende a confundirnos como si fuera lo mismo que lo del hombre. Este asunto ha sido motivo de un trabajo magistral en uno de los últimos congresos internacionales de sexología. Se ha comprobado que se trata nada más de líquido lubricante, masivo, tremendo, que fabrican las glándulas femeninas cuando se excita el famoso "Punto G" de las mujeres, que no es otra cosa sino un centro nervioso. A diferencia del semen, no contienen ninguna célula sexual, ni óvulos ni mucho menos espermatozoides, de modo que no te atormentes con la idea de que la mujer esté virilizada. También se habían preguntado los expertos si era orina, ya que cuando se excita este "Punto G" la mujer siente como que se va a orinar inminentemente, pero sólo eso, en verdad no ocurre. Ahora se sabe que hay sensación de urgencia urinaria, pero no es orina, sino simplemente como te digo, líquido lubricante que se exprime masivamente al excitarse esta zona tan sensible. Tal vez, por la configuración de los cuerpos de ambos, ustedes encajan perfectamente el uno en el otro, o quizás por su técnica amorosa alimentada por esa pasión que me refieres. Por lo que sea, en estas ocasiones que relatas se estimuló el "Punto G" de ella (ya ves que otros se pasan media vida buscándolo y no lo encuentran) y ocurrió el derrame. No hay motivo de preocupación, al contrario debe ser un momento de alegría, ya que sin duda son muy buenos amantes el uno con el otro, y eso no quiere decir que lo fueran con otras parejas.

Disfruten de su amor, los felicito.

> *...la humedad vaginal es el primer signo de excitación de la mujer en el cortejo erótico cuando el cerebro de ella desea el sexo, lo mismo que la erección lo es en el hombre.*

GAYS Y GENÉTICA

Edgar, 21 años, estudiante,
Puebla, Puebla

Una vez la escuché decir que es posible que los homosexuales tengamos una causa genética, que así nacemos, pero que eso está por descubrirse al descifrar en estos próximos años el genoma humano. Me preocupó esto que dijo, francamente. Yo soy homosexual "de clóset". Tengo miedo de que en el futuro ya no existan homosexuales, de que con los descubrimientos científicos vayan a fabricar seres perfectos, generaciones correctas, y un gay nunca vaya a encontrar pareja. Eso sería mayor discriminación de la que hay ahora. Imagino que los heterosexuales en el poder van a eliminar este defecto genético (así lo creen ellos) y a fabricar seres perfectos. Le pido, por favor, que explique claramente qué va a pasar, cuál va a ser el futuro de los homosexuales a raíz del descubrimiento del genoma humano.

La doctora responde...

Yo nunca aseguré que la homosexualidad tenga una causa genética porque no está demostrado. A lo más, dije que tal vez en los próximos años se descubra. Ello me alegraría solamente en el sentido de tapar la boca injusta e inhumana de todos los que condenan la homosexualidad como si fuera capricho, una degeneración de la práctica sexual, una voluntad viciosa.

Sólo sé que me consta que nadie elige su orientación sexual, nazcamos o nos hagamos. Si se confirmara un origen genético de la orientación sexual (es un decir, un ejemplo), esto daría mucho qué pensar a todos aquellos que rechazaron a un amigo o a un hijo por ser diferente. Pero veo que te preocupa lo que dije, te preocupa pensar. Eres inteligente y te duele ir más allá de las cosas imaginando otras realidades. Yo te diría que lo preocupante del humano es no pensar nada, eso sí que es grave. Tranquilo, amigo. No obstante, tus miedos están bien porque cada descubrimiento nos puede hacer temer lo peor y está bien que vigilemos la ética de la ciencia. Pero no te limites. No sólo con la homosexualidad sino con todo. ¡Aguas! Cuando Hitler fue poderoso decidió que sólo los arios eran la raza elegida y mató a los judíos serenamente, avalado incluso por su asesores científicos. De la misma manera, si los gays tuvieran el poder dictatorial y carecieran de valores humanos, existe la posibilidad de que eliminaran a las mujeres salvo para parirlos, de que sometieran a los heterosexuales, de que los violaran incluso o no les dieran trabajo por ser anormales. Y así sucesivamente, según quien tenga el poder y cómo lo use si se vuelve loco: con los niños, con los discapacitados, con los ancianos, con los negros, con los indígenas, con los infieles a la religión obligada, con lo que tú quieras… La energía nuclear cura el cáncer, pero también fabrica bombas atómicas; todo depende no del saber sino de lo que hagas con ello. Y esto no es de ahora sino desde el principio de los siglos.

El fuego recién descubierto por el hombre podía servir para cocinar, para ahuyentar a las fieras en la noche, o para quemarte vivo se te descuidas o te atacan con ello. Hay que vigilar las conductas del planeta, no los descubrimientos. Las democracias y las nuevas sociedades tratan de reivindicar la pluralidad humana como una forma de existir con pleno derecho. Si no es así, el peligro es humano, no gay. Por tanto, supervisemos las leyes de lo humano para que esto no ocurra. Descubrir algo no puede ser peligroso en sí mismo. El hombre y la mujer son animales mejorados, empujados desde siempre a indagar y manipular las cosas para que les sirvan. Lo que hagan con ello, eso es otra cosa. Se requiere desde luego que luchemos día con día, estemos donde estemos, para que tu derecho a ser sin ofender sea pleno. Nos queda camino por delante, mucho por hacer, pero parte de nuestra evolución es vigilar qué hacemos con lo que sabemos. Ni modo que decidas no saber, en esto no hay vuelta atrás, me temo. Piénsalo y verás que se cura el vértigo de existir. Mejor hacer algo que llorar como ninfa en las alcobas. Y de cualquier modo, sin remedio, el humano nace y se hace.

> *...el peligro es humano, no gay.*

ME AVERGÜENZA MI PENE

Isaías, 32 años, arquitecto,
Guadalajara, Jalisco

Lo que me pasa es un tormento casi desde mi infancia. No he podido compartir esto con nadie.

Cuando la escuché en la radio pensé en hablarle y no me atreví. Luego en televisión me animé más, pero tampoco pude. Por correspondencia, adquirí la confianza necesaria. Sé que guarda rigurosamente el anonimato, y también me alentó saber que no soy el único (aunque parezca estúpido esto de "mal de muchos, consuelo de tontos"), pero fíjese que sí cambian las cosas al saber que hay más personas como yo, y no me tengo por tonto.

Desde chico evité cada vez más las regaderas comunes, la natación, los gimnasios o cualquier actividad donde apareciera el cuerpo porque supe de las burlas de los compañeros. Ahora más aún. Con un agravante: soy gay, y aunque esto parezca una disculpa, creo que en este ambiente importa aún más lo físico. He llegado a pensar hasta en matarme. Me tientan esos productos, de tianguis y también por correo, que ofrecen crecimientos maravillosos, pero también pienso que no puede ser.

Sólo en usted confío, en su criterio, dígame la verdad doctora. Mi pene no es inoperante, pero sí parece que es más chico que el del resto de los varones, ¿puedo hacer algo para remediarlo?

La doctora responde...

Querido Isaías, tienes razón en pensar que no eres el único. Te diré (y no como consuelo porque no acostumbro a la pócima gratuita) que en efecto el problema es más común de lo que crees. Lo que pasa es que como este asunto se mantiene en silencio nunca se comparte y nos llegamos a creer monstruos. Cada uno calladito, hasta que al compartirlo se ve que ni tan raro, que lo que llamamos "normal" ni tanto, y que aquí todos sufrimos por una u otra causa. En general, te aclaro que el tamaño del pene no afecta a las relaciones sexuales de ninguna persona, que en la raza oriental tienen un miembro chiquito y sin embargo son los mejores en la cama porque tienen técnica, arte y mañas. Pero sí reconozco que afecta en cada cultura si te sientes diferente a la media, afecta a la persona que se siente psicológicamente acomplejada por verse menos que el resto. En esta situación, una de dos: o componemos nuestra cabecita para no sentirnos mal, o componemos nuestro pene; no hay más. Ahora bien, la cosa cambia en cuanto a las soluciones posibles y es mejor ser realistas que soñadores. La terapia psicológica para aceptarte a ti mismo es una opción, pero no es instantánea: lleva tiempo, sesiones, dinero y disposición por tu parte, con la ventaja —eso sí— que no sólo compone la aceptación de tu pene sino que sube toda tu autoestima. Por otro lado, sí te aclaro honestamente que en el mundo gay los requerimientos físicos son aún mayores, es un medio muy exigente con la apariencia, capaz de despreciar e invalidar a cualquiera si no reúne los requisitos de belleza masculina que el otro espera. Ojalá cambie este asunto con el tiempo, porque es una forma de "fascismo rosa" que atenta contra los valores humanos, pero así es de momento en el "ambiente" y mejor reconocerlo para no llevarnos a engaño. Por otro lado conviene aclarar que los penes son muy diferentes en reposo, pero no tanto en erección, es decir que el pene chiquito aumenta mucho y el pene grande aumenta poco, de modo que "a la hora de la hora" no existen tales abismos. En cuanto a aumentar el tamaño del pene no te fíes de soluciones mágicas, no existen, ninguna loción te lo va a aumentar. Lo más que vas a conseguir con estos productos es embarrarte un irritante que lo inflame y parezca que funciona, pero es como si te doy un martillazo en un dedo y se hincha un rato, además de producir malestar y daño en la zona. Funcionan de alguna manera las bombas de vacío para el pene que venden en las *sex-shops* porque es una especie de gimnasia diaria para desarrollarlo, pero aproximadamente dos centímetros con el tiempo, no más, con el compromiso de hacerlo diariamente y de manera moderada para no reventar las venitas del pene.

Funciona bien la cirugía, tampoco para mucho aumento. Se puede cortar el ligamento suspensorio del pene de manera que lucirá ese par de centímetros que normalmente se esconden dentro del vientre, pero el crecimiento lucirá sólo en reposo, en erección será igual que antes, además de resultar un procedimiento carísimo y no exento de riesgos si no es con un buen cirujano serio (no te fíes de las ofertas milagrosas). Lo que parece que está funcionando estupendamente es un aparato estirador, a base de ligas progresivas que puedes llevar puesto una hora diaria sin que se note, de la misma manera que se estiran los músculos de cualquier otra zona del cuerpo.

> *...no te fíes de soluciones mágicas,*
> *no existen.*

ME DESMAYO DE GUSTO

Diana, 20 años, estudiante,
Puebla, Puebla

Doctora, la felicito por ser como es. Para mí ha sido una gran amiga en quien confiar y ahora necesito consultarle algo. Mi novio y yo estamos un poco preocupados porque algunas veces, después de hacer el amor, yo me desmayo durante unos 20 segundos. Nos gustaría saber la causa de por qué me pasa esto, espero que nos pueda aclarar esta duda. Muchas gracias.

La doctora responde...

Qué bueno que consultes cuanto antes, amiga. Merece alerta médica lo que te está pasando. El asunto es mucho más serio que el chiste aparente de que te desmayes de gusto, cosa que podría satisfacer a cualquier ego masculino pensando que es por sus prodigios amatorios en la cama. El síncope, el desmayo, por pequeños que sean, siempre hablan de algo que requiere revisión médica. Aunque se trata de pocos segundos, significa que en ese momento el cerebro se queda privado de riego y falla. No puedo hacer un diagnóstico completo desde aquí sin una revisión personal a fondo, por eso quiero que cuanto antes acudas a un médico general para que haga una valoración de tu salud de arriba abajo. No obstante, si jugamos a adivinar posibilidades, te diré varias que pueden servir para que tomen conciencia otras personas en situaciones semejantes. El orgasmo, la excitación del sexo, es una situación acelerada y con sobrecarga de todas las funciones del organismo: respiración, circulación sanguínea, aparato muscular, ritmo cardiaco, sistema nervioso, metabolismo, etcétera. Si tu cuerpo y mente están sanos te sentará bien este exceso porque incluso te permite soltar el excedente de energía acumulado por mil frustraciones diarias. Pero si algún sistema falla, lo pones en apuros y comprometes tu salud. Puede haber problemas con la presión arterial y que tras la excitación se provoque una caída brusca en tu sistema circulatorio. Puede también haber un problema de azúcar en sangre (diabetes) y por lo mismo un descenso brusco tras el ejercicio que te tumba. Pero lo que más me tienta a la hora de intuir este asunto es que puede existir un problema de epilepsia menor que hay que explorar como posible causa, lo que en medicina se llama *petit mal,* sin convulsiones, sólo una momentánea falla eléctrica del cerebro que provoca una especie de ausencia en sus funciones, precisamente al descansar tras el ejercicio amoroso, nunca durante la agitación. Aunque se tratara de esto, aunque fuera lo que fuere, todo ello tiene un excelente tratamiento médico en la actualidad si lo detectamos adecuadamente. Lo que no puede ser es que ignores esta situación como casual o normal porque no lo es. Si te tratas, te aseguro que puedes seguir gozando, pero sin desmayos, amiga mía, que no debe ser para tanto el gozo.

> *El orgasmo, la excitación del sexo,*
> *es una situación acelerada y con*
> *sobrecarga de todas las funciones del*
> *organismo...*

ME EXIGE COITO ANAL

Adela, 29 años, publicista,
Acapulco, Guerrero

No soy muy experta en el sexo, pero me gusta y creí estar abierta a todo a pesar de mi educación conservadora y tapada. Quise cambiar y no lo logro. Tengo dos años de estar casada y la relación es buena.

Pero resulta que ahora mi marido me exige el coito anal y a mí me da pánico esto. Él dice que yo estoy mal y no sé qué pensar. Alguna vez lo he intentado y francamente, doctora, no sé si me duele más en lo físico o en mi cabeza porque me parece aberrante. Necesito de su consejo Anabel, ¿qué hago?, ¿en qué estoy mal?

La doctora responde...

Bueno Adela, a mí en principio lo que me parece realmente mal es el verbo "exigir" y eso sí me preocupa.

La relación en una pareja sólo puede ser eso: literalmente pareja, par, equitativa, igualitaria, no de dominio y sumisión y nunca desde luego de exigencia sino de diálogo. Hay hombres que creen que al casarse tienen derecho a una sexualidad a su antojo y no es cierto. Te recuerdo que hasta legalmente existe el concepto de "violación intramatrimonial", es decir, que ni siquiera el coito clásico es un derecho de nadie si tú no quieres, que en ningún papel firmado te comprometiste a la obligación de sexoservidora de tu esposo. La sexualidad puede ser lo más maravilloso del mundo, sin límites en la fantasía y las variantes para el goce de los dos creciendo en la intimidad del placer. Pero si se usa como elemento egoísta en que se emplea al otro como objeto de uno, entonces no sirve.

El coito anal es placentero para el hombre que penetra de manera activa porque el recto aprieta aún más que la vagina, esto es cierto, además de que implica los componentes psicológicos de lo prohibido que añade morbo. También puede serlo para quien lo recibe pasivamente (sea hombre o mujer) porque esta zona tiene nervios sensibles que dan placer; fíjate que de otro modo resultaría casi imposible la deposición diaria, sería llorando, y en cambio una sabe del gusto después de una buena evacuación placentera. Sin embargo, a la entrada del recto hay dos grandes puertas a rebasar, dos esfínteres que tienden a cerrarse y no permiten la entrada fácilmente: uno es el externo (que cuida que el ano esté cerrado para que no vayas por la vida dejando rastro), y otro dos centímetros más adentro es el interno, más fuerte aún. En principio se resisten a la penetración y son dolorosos hasta ser vencidos. Con la repetición se relajan y van permitiendo esta práctica, más habitual por cierto de lo que creemos entre parejas heterosexuales de hombre-mujer. Es preciso usar lubricante, ya que la vagina lo produce de manera natural, pero no esta zona. También es una práctica de alto riesgo para contraer el SIDA, por lo cual es mejor utilizar condón resistente, y desde luego nada de llevar el pene directamente del ano a la vagina o la boca porque se transportan gérmenes fecales que pueden crear infecciones en otras zonas más delicadas. Pero de cualquier modo las variantes de la sexualidad en pareja son algo a negociar entre dos. No puede ser que uno busque satisfacción sólo personal sacrificando al otro; en ese caso es mejor masturbarse o comprarse de plano una muñeca inflable que no opina, no siente y no protesta. Entre dos humanos no puede haber sometimiento sino gozo mutuo. Platíquenlo y decidan juntos. No tienes por qué aceptar algo que a ti te parezca impropio culturalmente o molesto físicamente. La sexualidad no es convertirte en una víctima del sacrificio sino en una protagonista de tu propio goce que das y te dan. El placer humano puede estar en lugares muy diversos: en lo físico simplemente, en lo psicológico al traspasar lugares digamos "prohibidos" o en la complicidad de confiar en el otro. Si no se dan estas circunstancias, no tienes por qué aceptar aquello que no te agrade. No eres un objeto de placer para el otro, eres una compañera que tiene un lugar propio para crecer juntos. Como de cualquier modo igual te falta perspectiva y cultura sexual, te recomiendo que leas —mejor que lean juntos para platicar— mis libros, para conocer en detalle esta práctica y luego tú decides con él. Que nadie decida por ti.

> *Entre dos humanos no puede haber*
> *sometimiento sino gozo mutuo.*

ME RETIRO A TIEMPO

Alfonso, 22 años, comerciante,
León, Guanajuato

Yo, doctora, la escuché varias veces por radio y la vi también en televisión. Usted no me parece mal, pero tampoco bien. Me explico... Lo peor de este asunto es que mi novia ya no se fía de mí por su culpa. Nosotros tenemos relaciones bien seguido, hasta ahora tan contentos. Pero los problemas empiezan por culpa de usted. Yo soy un hombre que controlo, que me retiro de ella antes de eyacular, que soy serio y responsable. Ahora ella dice que no es suficiente, que esto no es seguro y ya no quiere de esta manera. Se empeña en ponerme un condón, y yo, la mera verdad, eso no va conmigo, eso será para los idiotas, ¿o qué?

La doctora responde...

Veamos, Alfonso, ser hombre no es lo mismo que ser ginecólogo, ¿de acuerdo? Piensa un poco en este asunto. Que tú tengas sexo no te convierte en sexólogo, de la misma manera que no porque tengas dientes eres dentista, ¿sí? Entonces te pido un poco más de humildad y sensatez en este asunto. Tú crees que por retirarte a tiempo como tú dices, por apearte en marcha, o sea por eyacular fuera, está todo controlado.

No, mi vida, no lo está. Te falta información al respecto. Y más hombre es el que sabe que no sabe, que el que cree que todo lo sabe. La sabiduría verdadera tiene conciencia de la necedad de uno mismo; pero la necedad no siente culpa de lo que ignora. No te estoy llamando tonto, te estoy llamando humano, incompleto, en progreso,

45

creciendo, y esto no es ningún delito sino todo lo contrario; me gustaría que así lo entiendas. Resulta que el pene no sólo lanza espermatozoides en la eyaculación. Mucho antes, verás que tu miembro exuda un líquido transparente y medio lechoso, la baba previa de cuando te excitas, un sistema natural de lubricación que posee el cuerpo más allá de lo que compres para resbalar en la farmacia. Pues bien, amigo, en ese líquido pueden salir nadando espermatozoides: uno, cien o cuatro mil navegantes que reflotan despistados desde tus testículos. Basta uno solo para generar un embarazo, ésa es la cuestión. Por tanto, la retirada antes del clímax no es un método seguro. No corras el riesgo de fabricarte un hijo no querido, no juegues con la vida, amigo, porque es una especie de alquimia en manos de los humanos, y como tal hay que respetarla: de la misma manera que el gran conocimiento estuvo siempre en manos de los sabios para ser custodiado. Así te quiero, sabio, custodio del tesoro en vez de bestia analfabeta guiada sólo por su calentura. Por otro lado, te recuerdo que como hombre no es obligado saber para que ella se haga la tonta.

Tal vez es más inteligente acudir con inocencia al encuentro entre los dos y actuar con eficacia (informada sin remedio), y con placer, y ésa es tu tarea si amas lo que está entre tus brazos. Ponerse un condón no es de tontos, Alfonso. Esta simpleza es como creer que es idiota el que se pone un abrigo para caminar en la nieve. Mejor no hacerse el payaso. "¡Menos lobos, Caperucita!", y mejor trabajemos en lo que somos en lugar de intentar a toda costa demostrar lo que pretendemos.

> *Resulta que el pene no sólo lanza*
> *espermatozoides en la eyaculación.*

MIEDO A DESNUDARME

Alicia, 19 años, ama de casa,
Puebla, Puebla

Aunque soy muy joven, ya estoy casada. La relación es buena de día pero no de noche, y creo que es por mi culpa. Él es un buen hombre, atento y cariñoso, y la verdad es que sólo vive para atenderme, muy amoroso. Pero se enoja cada vez más porque no me atrevo a quedarme totalmente desnuda en su presencia. La verdad es que estoy un poco gordita, que mis senos son demasiado grandes y caen, que tengo llantitas por todas partes. Pero, además, mi marido quiere besar mi cuerpo entero, incluso "ahí", y eso sí que me parece terrible. Él dice que no sólo quiere penetrarme, sino besarme y jugar conmigo; quiere ver incluso mis partes íntimas con detalle.

Eso, doctora, me parece terrible. El cuerpo de los hombres me parece normal, pero no el de las mujeres. Pienso que tenemos ahí una cosa muy fea, espantosa y yo no quiero que me deje de querer cuando lo vea, es como si lo tuviera que esconder. Mi educación fue muy conservadora, y quisiera complacerlo, pero en verdad no puedo ni creo que podré jamás. Imagino que de seguir así acabará buscándose a otra que le dé todo esto, ¿qué puedo hacer? ¿Estoy yo mal o lo está él? ¿No será un enfermo? Sólo confío en su consejo, doctora, y prometo hacer lo que usted me diga porque es una persona honesta y conocedora, que trabaja defendiendo a las mujeres y sobre todo con la verdad.

La doctora responde...

La educación tradicional servía muy bien para un mundo que no es éste. Con independencia de cómo nos educaron en la infancia, cuando éramos desvalidos, llega un momento en que para ser válidos nos toca revisar personalmente todos esos valores y decidir cuáles de todos son nuestros personalmente (no de los padres) y cuáles no, cuáles sirven para vivir en el presente y cuáles son caducos o incluso perniciosos. Todo parece indicar que tienes una buena pareja y no un sátiro, que no te está proponiendo perversiones monstruosas o dañinas sino amor de pareja, erotismo lícito y conocimiento mutuo. Pero, Alicia, no se trata de que le des gusto sino de que crezcas personalmente como mujer adulta y dueña de sí misma para sentirte bien tú, y luego en pareja, no antes. Lo primero, olvídate de los prototipos femeninos que nos venden las revistas y los medios, esas mujeres escuálidas, incluso anémicas y artificiales que parecen obligarte a ser otra. No tienes que ser otra, tienes que ser tú, pues así te ama. ¿Acaso no se enteró él hasta ahora de que eres gordita? ¿Crees que es tonto y te alucina flaca al quitarte la ropa?, pues no, mi vida, para nada. Tus llantitas no son un defecto, sino parte de tu estuche, de tu cuerpo que él ama al amar tu persona, algún día las podrás desaparecer por salud o por gusto personal, pero no como deuda para con nadie.

No te sientas menos, siéntete más por ser amada, porque esto en sí mismo es un privilegio, y hay millones de flacas en el mundo —famosas incluso— que lloran de desesperación por estar solas. Pero vamos más allá, los genitales de la mujer: la vulva no es fea, es que nunca la vimos. Quiero que la veas tú antes de que te sientas violentada por el hecho de mostrársela al otro. ¿Te atreviste alguna vez a verla con detalle? Lo dudo. Cuando estés a solas siéntate frente a un espejo con las piernas abiertas, no una vez sino muchas. De seguro que empleas mucho tiempo en mirar tu rostro al espejo, el cutis, las pestañas, las cejas, las arruguitas, la hidratación, los granitos, el maquillaje… y de la carita chiquita del amor ¿qué? Familiarízate con esa parte divina de tu cuerpo.

Observa su color rosa de joven y violeta en adelante, su textura delicada, sus labios menores y mayores como construcción perfecta, el clítoris prodigioso, el orificio de la vagina, tócalo todo porque es tuyo, sin temor alguno, sin permiso más que de ti misma. Hazlo de la misma manera curiosa e inocente que si vieras tu oreja por primera vez y le dieras un susto: ¿una oreja es bonita o es fea?

Peor aún, ¿quién dijo que un pene es bonito o normal? Pues, la mera verdad, tiene carita de haba, jeta de tonto, y además tiene un agujero en la cabeza ¿o no? Pero fíjate que la cultura nos acostumbró a que lo masculino esté bien, a que sea normal tenga la forma o la actitud que tenga, y a que en cambio lo femenino siempre esté mal portado o sea feo. No te dejes, no es cierto y es injusto.

Date tu lugar porque lo mereces como ser humano, y además porque puedes, porque eres amada y adorada y estás desaprovechando una oportunidad preciosa. No se trata exactamente de cumplir las expectativas del otro para darle gusto, sino de completar tu cuerpo y tu persona para que lo habites con orgullo, sin vergüenza alguna, porque existir es un privilegio y es como para cantarle a la vida. Después de esto, lo demás va solo. Pero hazlo cuanto antes. La tarea de aprender a vivir nunca termina, es continua, y casarse no es una meta, sino el inicio de una andadura: ¡manos a la obra!

> *Lo primero, olvídate de los prototipos*
> *femeninos que nos venden*
> *las revistas y los medios...*

NO ME SIRVE SER FIEL

Ulises, 28 años, arquitecto,
Torreón, Coahuila

Doctora, usted ha venido diciendo que siendo fiel no hay problema de enfermedades sexuales. Yo soy gay, tengo una única pareja, un hombre algo más grande que yo. Sin embargo me han aparecido unas verrugas en el borde del ano y no me lo explico. ¿Será de algún baño?, ¿será alguna sábana o toalla de un hotel?, o tal vez en realidad no tengo de qué preocuparme. Dígame qué puedo hacer.

La doctora responde...

Oye, amigo, yo nunca dije eso taxativamente. Es decir, que no se vale tomar una parte de las frases y aplicarlas a un todo según nos conviene. Se trata de entender, no de obedecer a cuatro tips sin reflexión alguna. Enfermedad de transmisión sexual con tu pareja si eres fiel, pero no de ayer, sino desde siempre. No te equivoques en los tiempos. Es bueno aclarar esto porque hay grupos que promueven la fidelidad recién inventada como la cura milagrosa de lo que nos pase. No es así. Efectivamente, en una pareja en la que ambos son vírgenes y no han tenido contacto con terceras personas, pues es imposible que traigan bichitos ajenos. Pero… ¡ojo!, por muy fiel que seas desde hoy, habrá que saber que las infecciones las portamos en el tiempo. Por ejemplo, el SIDA puede vivir en tu cuerpo por más de diez años, es decir que si conociste sexualmente antes a alguien y no usaste protección, la fidelidad actual no te libera de llevar "premio" en tus adentros. Lo mismo que a las mujeres, el cáncer de cuello de matriz. Pero totalmente curable si acudes al doctor ahora. Hay que tratarlas en el urólogo, hay que eliminarlas. No sólo eso. La lesión se cura pero el virus no se elimina, de modo que tendrás que usar protección para tus relaciones y no contagiarlas a terceros, también para no recontagiarte. Si quieres te engaño con los baños, la ropa y demás delirios, pero no se trata de eso. Tú o tu pareja lo traían. Aquí no hay culpables, pero sí responsables, ¿de acuerdo? Los gérmenes viven entre nosotros y no se coordinan con el día en que te enamoras. A veces están latentes en nosotros por días, meses o años. Hay que cuidarse, cuidar a la persona que amas una vez que la encuentras a pesar del pasado estúpido, y curarnos. Acude al urólogo y pide —exige— toda la información al respecto. De cualquier modo usa condón siempre, por enamorado que estés, no es una lacra, es un orgullo cuidarnos mutuamente.

> *Los gérmenes viven entre nosotros y no se coordinan con el día en que te enamoras.*

NO SANGRÓ Y NO LE CREYÓ

Matías, 19 años, estudiante de electrónica,
Saltillo, Coahuila

Doctora. Quiero que me aclare una cosa. Mi novia juró que era virgen, que yo era el primero, y le creí. Por eso mismo también la estuve respetando un rato. Pero ahora que al fin tuvimos relaciones resulta que no sangró y me sentí burlado. Mis amigos dicen que me vio la cara, que de seguro ya estaba estrenada, pero que al final la propia naturaleza se encarga de desmentir a las mentirosas. A veces se respeta muy poco la dignidad de los hombres, y se lo digo porque usted tiene la manía de defender a las mujeres. Pues sepa que yo he sido burlado y merezco alguna compensación.

La doctora responde...

Querido Matías, eres un payaso y un ignorante, lo lamento. ¡Ah! y lo mismo para tus amigotes. Lo primero: te explicaré algo que debes de saber antes de sentirte gratuitamente lastimado. Lo que de todas las mujeres sangran es un mito, no es cierto, sólo lo hacen una de cada tres. La membrana del himen (la famosa "virginidad" femenina) es muy diferente en cada mujer según su constitución anatómica. En algunas, es apenas como una telilla de araña que con el más leve roce se bota, con pocos vasos sanguíneos y el desgarro no produce hemorragia. En el otro extremo, hay mujeres que la tienen dura y rígida, dolorosa y difícil de perforar, y tremendamente vascularizada teniendo hemorragias hasta peligrosas que no ceden solas o que se repiten cada vez que se intenta un nuevo coito. En el término medio, estarían aquellas mujeres que sangran un poquito y ya. De modo que no le juegues al doctorcito ni al sabio, amigo Matías, mejor informarse correctamente primero. Por otro lado, hay mujeres que no habiendo conocido jamás varón, sin embargo no tienen himen porque practicaron deporte, danza, etcétera y en los propios ejercicios se rompió solito sin que se dieran cuenta. De cualquier manera, qué poco respeto y confianza tienes hacia tu compañera, y qué brutos tus cuates que para colmo te asesoran. Ojalá esta regañada sirva para que platiques el asunto con ellos y cambien de actitud, porque es grave que se manejen así las cosas. Es la dignidad de ella la que has pisoteado y no la tuya. Por cierto ¿tú eres virgen o ya venías estrenado?, no sé, tendremos que creer en tu palabra porque no tenemos cómo hacerte la pruebita. Si no cambias de mentalidad, desde luego no te aconsejo seguir con la relación, no por ti sino para cuidarla a ella. Tal vez encuentres al rato otra más espabilada que te diga lo mismo y te manche con unos higaditos la sábana para que quedes contento, como han hecho las mujeres desde antaño para defenderse de las acusaciones semejantes y no quedar en entredicho, como posiblemente les hagan a tus amigos y entonces sí que les están viendo la cara. Finalmente, mejor preocúpate de ser el último, eso es lo importante, y no el primero para acabar siendo cornudo si te cambian al rato con otro. Sería bueno que distingas entre estrenar un carro y una mujer, son cosas muy diferentes aunque te cueste creerlo.

> *... preocúpate de ser el último, eso es lo*
> *importante...*

PAREZCO HOMBRE EN LA CAMA

Adela, 23 años, asistente de producción de televisión, Distrito Federal

Doctora, la escucho diario en radio. Usted me alivia con la inmensa cultura que nos comparte, pero también confirma que soy un monstruo de mujer por lo que me está pasando. Muchas veces le oí comentar que los hombres son rápidos en el orgasmo y las mujeres lentas, y que además ellos se quedan tan vacíos que se duermen tras hacer el amor. Pues bien, al parecer, no sé por qué, mi reacción sexual es como la de un hombre. Yo tengo un orgasmo rápidamente apenas me toca mi novio. Y cuando esto ocurre me entra un sueño irresistible, una flojera que no puedo vencer y ya no quiero saber nada más del sexo, de manera que me siento tentada a dejarlo con las ganas de seguir adelante cuando mi pobre chavo apenas empieza el cortejo sexual. Quiero aclarar que no me ocurre esto al ser penetrada, sino con sus caricias previas en mi clítoris. Ya ve usted, doctora, soy al revés que todo el mundo. ¿Qué puedo hacer?

La doctora responde...

Adela preciosa, cuando damos consejos en general nos limitamos a lo que le pasa a la mayoría. Que te ocurra algo diferente a la estadística no te convierte en ningún monstruo. Precisamente para atender lo personal están los espacios como éste, y la radio y el resto de lo que yo hago.

Todos somos especiales, distintos. A veces, generalizamos para responder a muchos, pero en esta ocasión se trata de responderte a ti, y —puedes estar segura— que como tú, hay cientos de personas que les pasó lo mismo. Es cierto que el mayor problema de la mujer es ser más lenta (o él más rápido, todo es relativo) y no alcanzar el orgasmo en el breve tiempo del encuentro. Pero ya ves que tu caso es inverso, y no por eso deja de ser humano, simplemente hay que atenderlo.

Es importante lo que me dices de que no es al penetrar sino con las caricias previas en el clítoris. Adivino desde aquí que tu clítoris está altamente sensibilizado, es decir que creo te has masturbado frecuentemente antes de tener pareja, de modo que al rozarlo el orgasmo llega casi solito. De la misma manera que respondes a la inversa. Es decir, si normalmente aliento a los hombres a que trabajen el clítoris de la mujer para excitarla, en este caso, sin embargo, habría que decirle a tu pareja que no trabaje esta zona en las caricias previas, que las reserve para el final. El encuentro sexual es a fin de cuentas una relación entre dos, no un manual ajeno, y hay que encontrar los resortes y los ritmos particulares de esas dos personas en concreto, no del resto. Por ello, no te bases en cuestiones ajenas sino en las tuyas. Sería conveniente que las caricias previas que hagan no ocurran en estas zonas altamente excitantes de tu cuerpo, sino en áreas más mansas y periféricas. No obstante, me preocupa tu sueño como rendición y abandono de la escena erótica, sobre todo porque el clítoris no sufre un vaciado de sangre tan fuerte como para dejarte aniquilada y se debe recuperar de inmediato.

En este caso, creo que sería útil psicológicamente concentrarte en darle placer a tu pareja y obviar un poco el tuyo que —por suerte— vendrá solito en cualquier momento. No te dejes vencer por el cuerpo, piensa en tu hombre, en todo lo que lo amas, y cambia los roles aconsejados habitualmente. Tú no eres ningún monstruo sino una mujer con mucha suerte que en vez de reclamar puede dar ¡no sabes la suerte que tiene tu novio! Encontró una perla, úsala para ser feliz en vez de lamentarte, porque tienes un gran regalo de la naturaleza. Piensa, actúa con lógica, fuera de patrones, y te auguro una felicidad sexual como pocas, díselo de mi parte.

PENE DESVIADO

Israel, 31 años, profesor universitario,
Mérida, Yucatán

Mi problema es doble, personal y anatómico. Digo personal porque he llegado a creer que las mujeres son seres crueles y despiadados, que no es cierta toda esa leyenda de dulzura, de ternura y candor. Mi experiencia demuestra lo contrario. Reconozco que mi pene no es normal, está retorcido, desviado, chueco. De hecho, tiene una forma ridícula cuando está en erección. Hasta yo mismo me avergüenzo de verlo cuando me masturbo y comprendo que a la gente le choque. Es tal la forma, que me apena tener relaciones íntimas con una mujer. La única vez que lo intenté la chava se rió de mí hasta hacerme llorar, y lo peor es que se lo contó a todas sus amigas, alumnas mías, hasta el punto de que aparecen pintas en la universidad haciendo bromas sobre "el chueco" y yo sé que se refieren a mí. No puedo más, me voy a volver loco. Me siento un monstruo, ¿por qué me tuvo que tocar esta anormalidad a mí? Pero además siento el dolor de la crueldad de las mujeres y mi rol como profesor ya no merece respeto alguno, soy la burla del campus, la burla del salón de clases, en todas partes. Pensé en huir, pero allá donde vaya este defecto irá conmigo y no faltaron noches de desesperación e insomnio en que pienso en matarme, ¿qué puedo hacer, doctora?

La doctora responde...

Parece mentira que seas profesor universitario y te veas envuelto en un drama cuya única culpa es la cultura sexual que tenemos. El pene desviado, torcido, es un caso muy frecuente en los hombres, más de lo que imaginas, lo que pasa es que no lo van contando por ahí y todos creen ser el único. No es ninguna monstruosidad. Médicamente se llama "desviación anormal del pene" que, de tan predominante que es, debiera llamarse "frecuente" en vez de "anormal". Fíjate que se corrige con una sencilla intervención de cirugía que te puede hacer el urólogo en el propio consultorio, con anestesia local y la mayoría de las veces, sin necesidad de internarte en un hospital, de modo que sales caminando. Depende de cada caso y primero tendría que verte el doctor. Te diré que si es una desviación simple es facilísimo. El internamiento dependerá ya de si hay otros problemas, como por ejemplo que el orificio de la orina esté en un lugar del pene distinto a la punta (de un lado, arriba o abajo) y que también haya que corregirlo. Dependiendo también de si tienes hecha o no la circuncisión. Si no la tienes hecha, es posible que el pellejito del pene (prepucio) jale y te esté lastimando, con lo cual también habría que librar la cabeza del pene (glande) para que "respire" a gusto. Pero fíjate que este mismo pellejito que se retira puede servir para componer el orificio desviado de modo que todo se aprovecha de una manera sencillísima. Quiero que vayas al urólogo pero ¡ya! Y que te operes de inmediato, lo puedes hacer también en el Seguro o en la salud pública porque es una operación muy frecuente. Sin embargo el mal que ya está hecho es el social. Desgraciadamente te topaste con una adolescente inconsciente y desalmada. Lamento profundamente que algunas mujeres en nombre de la "liberación" femenina cometan las peores atrocidades del machismo que hemos vivido en otros tiempos. El feminismo es para vivir mejor, no para repetir torturas de género. Tal vez sea bueno cambiarte de ciudad si tienes oportunidad de pedir una plaza de profesor en otro lugar, porque me temo que los rumores y los chismes corren como la pólvora y no va a ser fácil que ahí mismo te liberes de esta leyenda. Pero te aseguro que, cuando estés operado, a ti mismo te dará risa pensar en lo que sufriste ahogándote en un vaso de agua y será tal tu energía que nada podrá dañarte de nuevo a este nivel, y la que lo dude que pruebe, ¿no crees? Aquella chava quedará como mentirosa, nunca le digas por qué, ese será nuestro secreto.

¿PUEDO ESTAR EMBARAZADA?

Eva María, 18 años, estudiante,
Puebla, Puebla

Necesito salir de dudas cuanto antes.

Estaba con mi novio, yo desnuda y él en *boxer*. Ni siquiera estábamos fajando. Lo único que pasó es que acercó su miembro a mis genitales sin quitarse la ropa. Yo nunca he tenido relaciones sexuales, y la verdad tengo miedo de salir embarazada por esto, ¿hay peligro?

La doctora responde...

Tu pregunta, Eva María, me preocupa y me conmueve en extremo. Me conmueve por la inocencia, por el temor exagerado. Pero sobre todo me preocupa porque compruebo una vez más en las preguntas de jóvenes que el desconocimiento acerca de la sexualidad es tal, que lo mismo da suicidarnos por un beso que relajarnos provocando un embarazo. Es decir, lo grave no es que tengas miedo de más, sino que por ignorancia otro día seguro que tomas precauciones de menos. ¿Cómo vamos a cuidar una función de la que no sabemos nada? Es indignante que la sociedad genere chavas con este analfabetismo sexual. Entiende, cariño, mi reproche no es hacia ti (al contrario: gracias por preguntar) sino hacia los miedos oscurantistas que sólo generan desastres por no hablar claro. Días tras día compruebo que no conocemos nada, absolutamente nada acerca de nuestro cuerpo ni de cómo funciona. Tanto tiempo invertido en cosméticos, en dietas, en cremas y champús, en ropa para adornarlo, y ni siquiera sabemos para qué sirve la parte más íntima e importante de nuestro ser, el mecanismo del placer, del amor, el capaz de dar vida, el que ha de estar sano. A ver, Eva María, el embarazo sólo se puede producir cuando el semen del hombre es depositado dentro de la vagina de la mujer, o por lo menos "liquidito de excitación" que le sale antes. Las células sexuales no son moscos que vuelan, ni taladores que atraviesan los tejidos. El pene no es un arma mortal que embaraza sólo por tocarlo. Si lo introduces en la vagina, y si además eyacula, te puede embarazar y además contagiar de cualquier enfermedad que porte. No hay embarazo con ropa. Lo que de verdad importa es que tomes conciencia de que te estás acercando a la sexualidad sin saber ni lo más mínimo de ella. La sexualidad es maravillosa, no tiene por qué ser peligrosa, pero la ignorancia sí lo es. Dudo mucho que a otro nivel, en los alimentos por ejemplo, tú te comas algo que no sabes si es venenoso. Pues esto es igual. Quiero que primero te informes, que sepas todo acerca de lo que estás haciendo, y luego si quieres lo hagas, pero no antes. De cualquier modo me queda una duda: si estabas desnuda y no estaban fajando, ¿qué hacían? Mejor, ser honestos y llamar las cosas por su nombre, porque de otro modo como dice el refrán: tienes miedo a la oscuridad pero te agarras a los bultos.

> *...mi reproche es hacia los miedos oscurantistas que sólo generan desastres por no hablar claro.*

QUIERO SER TARDADA

Lucía, 23 años, auxiliar administrativa,
Distrito Federal

Soy soltera y nunca he tenido relaciones sexuales, pero me masturbo. Hay algo que me preocupa: ¿es cierto que cuando la gente se masturba se hace luego demasiado rápida para alcanzar el orgasmo cuando se casa? Yo cuando comencé a hacerlo lo disfrutaba más, pero ahora en cuanto inicio alcanzo el orgasmo inmediato y ya es muy rápido. No puedo pedir orientación a nadie ya que vivo en una sociedad muy cerrada y este tema es tabú. Le juro que yo al oírla en la radio me imaginaba una señora copetona así medio fresa, pero me equivoqué, y ahora que la vi en TV creo que es usted una persona muy alivianada. Gracias por ayudar a las chavas que como yo no podemos hablar de estos temas con nadie.

La doctora responde...

Fíjate que hay personas inconscientes que ni se preocupan de lo que hacen ni de sus consecuencias. A ti te pasa al revés, pero excesivamente, es decir que te estás agobiando gratis, que estás fabricando problemas que no existen, que alucinas barato y te ahogas en un vaso de agua. Otros son desinformados, y tú estás tan mal informada que puede ser igual de dañino si no tenemos la referencia adecuada. Gracias por consultar, eso es sin duda un acierto. Mira, cariño, el principal problema de la sexualidad femenina es ser lenta respecto al hombre, que nunca le da tiempo a la dama de llegar al orgasmo en el breve encuentro sexual con un varón que se excita rápido y dura pocos minutos. Éste es el gran drama troncal de la incompatibilidad sexual humana entre hombres y mujeres. Luego, entonces, ser femeninamente rápida es una ventaja matrimonial que tú malentiendes como drama. No tengas la idea de que consumes el placer sin disfrutarlo porque la mujer es multiorgásmica y se recupera en pocos minutos de un orgasmo para seguir gozando una y otra vez. Tú eres una joya, amiga, y eso te lo puede decir cualquier hembra humana que está harta de que la llamen frígida por ser más tardada. Mejor presume porque no careces, lo tuyo es virtud sexual y no defecto de cara a una vida de pareja. No obstante, si alguna vez quieres prolongar el placer en vez de consumirte en orgasmos desgastantes, me parece interesante como práctica personal, las técnicas orientales del Tantra Yoga, y en este sentido te pueden enseñar ejercicios para retrasar eternamente el clímax.

> *...la mujer es multiorgásmica...*

SEXO MENSTRUANDO

Catalina, 23 años, edecán,
León, Guanajuato

Me da pena decir los detalles, pero es la única manera posible de que usted me entienda y me ayude, así que ahí voy. El otro día mi novio se empeñó en tener relaciones a pesar de que yo me resistí ferozmente. No por ser virgen ni mucho menos, él y yo ya tenemos rato practicando el arte amoroso. El asunto es que yo estaba reglando y me invadió un pudor tremendo, un asco propio y una vergüenza ajena al mismo tiempo. Pero ya sabe, doctora, la calentura era tal que, como usted dice: "cuando piensa cabeza chiquita ya no piensa cabeza grande", y cedí a sus deseos. Pero luego me sentí nuevamente avergonzada, más que nunca, como si yo hubiera hecho algo malo, como si fuera sucia. A él no le importaba lo más mínimo, es más, aseguraría que hasta le dio morbo la situación. Yo quería morirme, que me tragara la tierra. Su pene salió rojo al terminar y todos aquellos remedios se me hacían pocos para borrar la muestra del delito. ¿Somos depravados?, ¿estoy mal?, ¿él está loco? Por favor, respóndame porque no duermo con esta imagen de matadero.

La doctora responde...

Las consecuencias principales que te puede traer este episodio son que manches la cama, nada más. Deja de atormentarte. Existe un tabú ancestral respecto a las mujeres menstruantes en que por menos se les consideraba apestadas. Hay tribus africanas que tienen, fuera del poblado, chozas de menstruación en la que han de retirarse las mujeres durante esos días, excluidas de la vida de la comunidad, como leprosas para que no contaminen al resto. Bajo ello existe por supuesto —como en todo lo demás— una visión machista del mundo: una mujer en su regla es una mujer que no le dio un hijo al macho, un fracaso para su hombría. En la mayoría de los templos asiáticos de zonas donde yo he vivido y lo he visto personalmente, existe un gran cartel a la entrada advirtiendo que se prohíbe la entrada a mujeres en los días de su regla para no mancillar el recinto sagrado.

Todo eso pesa de alguna manera sobre nuestro inconsciente colectivo y acaba produciendo esa especie de vergüenza de la que me hablas. No faltan entre nosotros consejos de abuela y de vecina similares, pensamientos mágicos totalmente injustificados que dicen que se te estropean los guisos si cocinas menstruando, que se corta la mayonesa, que se mueren las plantas si las tocas. Nada es cierto, es ignorancia del proceso "bio-lógico", "fisio-lógico" de los ciclos de una mujer. Fíjate que la sangre menstrual es especial, distinta a la de una hemorragia común porque esta sangre casi no coagula; mientras que la de una herida se oxida y se queda seca en pocos minutos al contacto con el aire, ésta de la regla sigue líquida por mucho más tiempo. Nada tiene de malo ni de mezquino este fluido, vital y natural, hermoso en su proceso. Pero aquí sí que las sensibilidades personales son muy diferentes. Hay quien experimenta asco y hasta pánico ante la visión de la sangre; hay otros que la degustan cual vampiros. Todo ello es humano. Lo importante en esta situación es que nunca tu cuerpo, ni nada relacionado con sus procesos, te avergüence: no es delito, no es sucio, no es malo. Malo es no quererse, malo es dañar al otro. Cuando amas te saben ricas las lágrimas de tu pareja, el semen, el sudor, los jugos, la sangre. Tranquila amiga, disfruta de la vida y de la buena pareja que tienes.

Malo es no quererse,
malo es dañar al otro.

SIDA Y VIRGINIDAD

Fernando, 18 años, estudiante,
Durango, Durango

Tengo una gran duda, sé que es tonta, pero no me aguanto el consultarlo. Ni mi pareja ni yo tenemos SIDA y tenemos relaciones sexuales, ¿nos puede dar sida? Me dijeron que si mi semen toca su sangre nos da de cualquier modo, ¿es cierto doctora?

La doctora responde...

A ver, amigo, no te dejes engañar. El SIDA no se fabrica de la nada ni surge en nuestras vidas de modo mágico por generación espontánea. Es un virus que tiene que existir en el cuerpo de uno para que pase al otro. Si no está presente en el organismo de uno de los dos, no es que aparezca de la nada porque tengas relaciones o compartas la sangre. Esto es una confusión grave, y creo que es producto de todos aquellos que han intentado asustarnos con las enfermedades para que no tengamos sexo, sin razonar ninguna otra cosa. Pero con las mentiras seguimos ignorantes y nunca podremos cuidarnos de manera responsable. La única solución para salir adelante como personas responsables es saber, y desde ahí pensar el resto y decidir qué hacemos. Si el virus del SIDA está presente en una persona, ésta te lo puede contagiar en la cama por la sangre y por los fluidos sexuales (semen y jugos vaginales). Pero si no lo tiene, ni modo que aparezca solito por arte de magia desde la nada. El SIDA no es un castigo, es una enfermedad y como tal hay que cuidarse de no contraerla y no propagarla. Del mismo modo, que el sarampión en un niño no es un castigo por desobedecer a los papás. Me gustaría que pensemos al respecto para hacer cosas eficaces, no tener miedos que obliguen a la castidad, que tarde o temprano nos traiciona. "La ignorancia es madre de todos los vicios". Desconfía de quien trate de vendértela porque te manipula.

> *El SIDA no es un castigo, es una enfermedad y como tal hay que cuidarse de no contraerla y no propagarla.*

SUSTO CON LA "PÍLDORA DE EMERGENCIA"

Alfonso, 23 años, mecánico,
Puebla, Puebla

Mi novia y yo estamos muy asustados. Se nos rompió el condón, no me regañe doctora. Reconozco que estaba caducado y que me descuidé en esto, ¡ni modo! Pero ése no es el susto. Por suerte sabíamos de la "píldora de emergencia" y mi chava la tomó de inmediato para evitar el embarazo. Y aquí viene la bronca. Resulta que ocho días más tarde le bajó la regla y no era su fecha habitual, y ahora se ha recorrido todo su ciclo. De veras que estamos preocupados. ¿Qué podemos hacer?

La doctora responde...

¿Qué pueden hacer? Dormir tranquilos en principio. Y a continuación, enterarse verdaderamente de lo que significa la "píldora de emergencia". Fíjate Alfonso que la mayor parte de las veces me habla gente despreocupada de su vida sexual, relajada en extremo e irresponsable. Pero tu caso es al revés. Te preocupas gratis, te diré por qué. La píldora de emergencia se toma para evitar el embarazo y para que baje la regla. Y ustedes van y se preocupan porque baja la regla. Mejor preocúpate cuando no baje, porque eso sería signo de que tal vez no haya funcionado y esté embarazada. Lo que no puedes pretender es que el ciclo menstrual continúe como si no hubieras hecho nada, porque sí lo has hecho. Has intervenido con hormonas el ritmo del ovario, con sobredosis concretamente, de modo que precipitas los acontecimientos precisamente para evitar esos días receptivos que son los peligrosos. Pero no pasa nada por modificar tu calendario (el de ella más bien); no es ése el asunto. A partir de aquí se establecerán ciclos de nueva cuenta con estas fechas, no seas aferrado a la agenda vieja. Lo que sí quiero que sepas es que la "píldora de emergencia" es literalmente para esto, para una situación extraordinaria, no ordinaria, que no es un método anticonceptivo de previsión ni de planificación familiar, sino para un apuro como el que estás pasando. Cuida tus condones, como de seguro cuidas la fecha de la leche o el yogur que tomas, como cuidas el cambio de aceite de tu carro, tu aspecto no caduco. Los condones fallan sólo por mal manejo, como en este caso. Aprende de la experiencia y revisa tu provisión de preservativos, porque preservan todo: embarazos no deseados y enfermedades menos deseadas aún. Aunque ya hayan salido ustedes del aprieto (¡de veras!) te recomiendo que te informes ampliamente de todo lo que supone esta píldora. De esta manera les será útil a ustedes personalmente y a sus amigos cercanos para aconsejar acertadamente en vez de despistarnos obsesivamente sin motivo. Ya ves, Alfonso, esta vez te preocupaste de más mientras otros se preocupan de menos. Pero gracias por consultar porque acabas de ayudar con ello a mucha gente que permaneció en silencio con esta misma duda. Nunca se queden callados, preguntar es de sabios.

> *Nunca se queden callados.*

CASOS DE LA MENTE

¿A QUÉ EDAD APARECE LA IMPOTENCIA?

Sergio, 38 años, vigilante,
Veracruz, Veracruz

Me da mucha pena decirlo, pero cuando voy a tener relaciones con mi esposa, me falla el miembro, se me dobla. Me parece que estoy muy joven para que me pasen cosas así. Yo no quiero ser un impotente. ¿Es normal esto a mis años, doctora?

La doctora responde...

Sergio, verás, normal es sobre todo que los hombres sean muy mentirosos en su círculo de amigos, que cuenten entre ellos éxitos sexuales prodigiosos, pero pocas veces sus problemas y mucho menos sus fallos. Es por eso que te sientes único, pero no es real. Si te tranquilizan las cifras, te diré que el 30% de los hombres "en edad de merecer" tienen alguna vez problemas de erección, es decir tres de cada 10, y tan jóvenes como tú o más. Pero hay un segundo drama: sólo el 2% de ellos consultan al médico (dos de cada 100), de modo que de ese centenar otros 98 sufren en silencio por un problema de salud que hoy en día tiene perfecto remedio.

Aquí no hay culpables ni deshonras, ni se deja de ser hombre por un asunto circulatorio de la sangre (¡sólo eso faltaba!). Acude de inmediato al médico general que tiene solución para ti, o si lo prefieres, al urólogo que es el especialista que maneja este tipo de problemas.

¡Ah! Y no digas ya lo de "impotencia" que no se estila (parece un insulto) sino lo que padeces es ahora llamado "disfunción eréctil" (falla de la función de la erección). Algunos, de impotentes pasan a prepotentes. Te felicito por consultar, ojalá todos hicieran lo mismo y así le pondrían remedio en vez de deprimirse gratis.

> *Si te tranquilizan las cifras, te diré que el 30% de los hombres "en edad de merecer" tienen alguna vez problemas de erección...*

ENFERMA DE CULPA

María, 37 años,
Zacatecas

Mi querida doctora:

¿A qué cerebro prodigioso iluminó Dios para que por este medio se desahogue uno de tantas angustias, complejos, culpas y remordimientos de conciencia? Quiero contarle a usted mis pecados, ya que no he sido lo suficientemente valiente para deshacerme de ellos con alguien. Tengo 37 años. En la niñez, a los 8 o 9 años, una amiga y yo comenzamos nuestro juego de trastecitos, casitas y muñequitas, hasta que llegamos a que tú eres mi mujer y yo tu esposo, que si tú la novia y yo el novio, que si tú el papá y yo la mamá. Creo que utilizamos un palito como pene alternativamente, poniéndose una debajo y la otra encima, y luego al revés. No me explico desde ese momento qué me pasó. Le empecé a tomar sabor a eso, con distintos objetos y sin medir consecuencias hasta llegar a sangrar y hacerlo tres veces diarias. Al seguir creciendo comenzaron los remordimientos, pero no dejaba de hacerlo, ya no con objetos, sino simplemente frotando mi pelvis acostada, me exaltaba hasta sentir alboroto y descansar bien satisfecha. Pero, ¡hoy que ya estoy vieja y de vez en cuando lo hago y desahogo mis ganas! El problema es que cuando lo hago, al día siguiente las rodillas me duelen, se me inflama el vientre, expulso muchos gases, siento punzaditas y un dolor enfadoso. Además, se me está cayendo mucho el cabello, temo quedar como foco pelón. Tengo dolores de cabeza, no soporto ver la luz ni oír el más leve ruido, al tiempo que me provoca náuseas y mucha desesperación. Todo esto lo deduzco del mal camino que he llevado con mi proceder. ¿Será grave? Yo sé que tengo la culpa. No conozco aún sexo de hombre en mi vida, he tenido muchos novios pero nunca ha habido tomadilla de manos ni sé lo que es un beso, mucho menos lo demás. Espero su respuesta, doctora.

La doctora responde...

Mi querida María:

Te diría que tu carta manifiesta que sabes lo que te pasa, pero no sabes que sabes. Me explicaré. La culpa es una enfermedad en sí misma, y eso es lo que a ti te aqueja. Y la culpa sólo depende de la educación recibida. Sentirte inadecuada, mala, equivocada, dependerá siempre de lo que te inculcaron como adecuado, bueno o acertado. En todas partes. Hay países árabes donde una mujer ha de llevar el rostro cubierto con un velo o de otro modo es una perdida; pero a ti esto te puede producir risa ¿no es cierto? Nadie te pidió taparte el rostro, pero sí otras cosas y el conflicto es el mismo si no cumples lo que se esperaba de ti. Por eso es importante señalarte que, una cosa es lo que esperan, y otra lo que tú eres.

¿Su problema o tu problema? Si fueran honestos: de acuerdo; pero me temo que no son así las cosas. Tal vez el problema es que miente y en ese caso "te vieron la cara" con sus normas. En tu carta veo que sobre todo eres sincera y auténtica, y eso es un valor que mucha gente falsa envidiaría. Arrastramos siglos de mentiras. Nos hicieron creer que el sexo no existe en los niños, en los jóvenes, incluso en las personas maduras si no es vestido de convenciones. Y no es cierto. La sexualidad humana existe de cualquier manera y nada de malo hay en ello. Si alguien te hubiera explicado que, de la misma manera que te gustaban los dulces, oír canciones bonitas, jugar con los trastos o brincar de niña, igualmente sentías placer en una parte de tu cuerpo tan digna como otras, entonces hubieran cambiado las cosas, hubiera cambiado tu historia.

No hay nada de sucio en nuestro cuerpo. Sucio es hacer daño a otros, abusar de ellos, procurarles el mal, pero no sentir cosas que la misma naturaleza te prodiga.

Tu amiga y tú jugaron a cosas prohibidas, que por serlo adquirieron más valor entonces; pero que realmente no lo tienen, sino que forman parte de la propia naturaleza del ser humano. Cuando tú te tocas es lo mismo. Falta de respeto sería tocar a alguien sin permiso, violarlo, usurparlo, someterlo, pero no esto. Las hormonas sexuales que circulan en nuestra sangre buscan placer, lógicamente, en la comida, en saciar la sed, en el sueño, en el calor de una caricia ajena que hasta ahora te ha sido negada.

Pero amiga, el cerebro es tan sabio como traicionero. Resulta que cuando tú satisfaces esta necesidad, más que natural, algo en ti reprocha que está mal, que no se debe y la culpa… ¡Ah, la maldita culpa que enferma y no redime!, esa misma, te crea luego síntomas por todo el cuerpo. De seguro, con crispación del orgasmo mezclada con el miedo, contraes inconscientemente tu aparato digestivo (estómago e intestinos) de una manera atroz, paralizas su ritmo, de modo que quedas con el vientre inflamado de estreñimiento, y el alimento detenido en descomposición dando gases. La calvicie femenina es típica también en los problemas nerviosos, se llama alopecia (falta de pelo) aerata (de las zonas del aire), como si fuera una especie de castigo medieval que tú sola te pones —también inconscientemente por supuesto— intentando redimirte, pagando la penitencia, rapada como las antiguas pecadoras. El dolor de cabeza. De cualquier modo, en estos cuadros, en psicología decimos al paciente: ¿contra quién te duele la cabeza? Empezar a responderlo es un buen inicio de terapia. Y mientras tanto, toma nota: evita los dulces (el chocolate en especial) y el café, come un tentempié a la hora de irte a la cama a base de proteínas (carne, por ejemplo) para mantener el nivel de glucosa, y cuando te duela toma media cucharadita de sal (que es lo que perdió el riñón en la orina), disuelta en agua con otra media de bicarbonato, te aliviará de inmediato.

Pregunta en tu familia, seguro que a algún antepasado tuyo le dolía terriblemente la cabeza, porque hay una predisposición familiar a padecer esto, y cuando tienes un conflicto se afecta precisamente la parte más débil de cada uno.

Pero para curarte a la larga, querida María, recuerda que la mente fabrica enfermedades que dependen de tu idea acerca de las cosas. No es que sean imaginarias, sino que la imagen de la culpa te hace soltar adrenalina y se transforma en síntomas que calman por un acuerdo entre tu cuerpo y tu cerebro. Es lo que se llama una enfermedad psicosomática (*psique*, que significa mente y *soma*, cuerpo), es decir que un conflicto originado en la mente se acaba transformando en algo físico que sientes en tu cuerpo. Amiga, no conozco humano que tenga separadas ambas partes, y se deben conciliar sin remedio.

Una cosa es decidir la castidad por consagrarla a la religión, a tareas más allá de lo humano o como renuncia porque te da la gana; y otra cosa es privarse sin motivo de algo a lo que tienen derecho todos los demás. El sexo es humano, y puede ser hermoso si tú haces que así sea, no sucio por fuerza. Te digo con seguridad que si tú te tranquilizas, si tocas tu cuerpo de cuando en cuando con amor hacia ti misma, como un premio propio de consolación ante la falta de caricia ajena, entonces es placer y no culpa lo que experimentas. ¿A quién le haces daño?

No te fíes de las máscaras que esconden tanta virtud pública y vicios privados, porque te están engañando con algo que ni ellos mismos cumplen. Tú eres un alma bendita, y el placer es hermoso y no sucio. Todo el mundo lo busca, y no siempre de maneras tan puras como tu persona. En lugar de avergonzarte, dedícalo a los fines que tú más quieras, como algo hermoso y sublime, sin la menor vergüenza ante ti misma. Te aseguro que de hacerlo así, desaparecerán todos tus males, que son sólo la manifestación de la bronca entre lo que pienso y lo que hago. Concilia mente y cuerpo, no hay nada malo en tu quehacer. Eres una niña pura, no vieja, ¡por favor! (Con las esperanzas actuales de vida de la población, te queda casi otro tanto por vivir, o sea que apenas vas a medio camino) y dáte la oportunidad de ser feliz porque lo mereces más que nadie en el mundo.

FRACASÉ AL PRIMER INTENTO

Ángel, 18 años, estudiante,
Distrito Federal

Estoy desesperado. Esperé para tener mi primera experiencia sexual. Y total, ¿para qué? Fracasé terriblemente. Ellas le llaman "fracasar" a quedar embarazadas, pero no hablo de eso doctora, sino de que hice el ridículo. Se me vino abajo el pene de pronto, se quedó blando, muerto. Ella intentó hacer de todo (era experta), pero fue inútil. He de confesar que me sentía terriblemente nervioso. No era una prostituta, pero sí una chica dispuesta a estrenar generosamente a todo el que se le ponga enfrente. Fui con mi primo, mayor que yo, y él se acostó con ella unos minutos antes que yo.

Desde la sala pude oír los gritos de placer que daba ella. No dejo de pensar que conmigo los hubiera dado de risa y, lo peor, temo que le cuente a mi primo todo esto.

¿Qué me pasa, doctora?, ¿es que no sirvo?

La doctora responde...

Claro que sirves, Ángel. Lo que no sirve es la situación. Tu impotencia, en este caso, nada tiene que ver con problemas físicos. Fíjate que ese trata del escaso 10% de los problemas de erección que tiene causa psicológica. Para que el pene se ponga erecto necesitas primero de la excitación mental —y esa sí la llevabas—. Esto hace que se suelten a la sangre una serie de hormonas que llenan el miembro de sangre, que al hincharse se para, y que funciona como cerrar las compuertas para que no se vacíe hasta la eyaculación. Pero ¡ojo!, cada vez que sentimos una emoción varían las hormonas y todas las sustancias que circulan por la sangre regulando nuestra respuesta. Si tienes miedo, ansiedad por ser comparado, por no ser tan bueno, por ser juzgado, por ser burlado, pánico a ser insuficiente, etcétera, etcétera, entonces lo que sueltas a la sangre es adrenalina, la sustancia usada para la huida cuando hay peligro. Como comprenderás esto no permite tener el pene erecto porque ni modo que huyamos de un tigre con el pene parado. Se abren las compuertas venosas, la sangre regresa a su lugar y se aprovecha para batir el corazón y los músculos de la huida (piernas, por ejemplo). Mejor procura un encuentro sexual amable, sin concursos, tuyo, sin partes a medias, con sentimientos a poder ser; disfrútalo sereno y verás cómo tu pene no falla, ni tu cabeza tampoco que, aterrada, fue la causa de todo. ¡Ánimo, que sí puedes!

> *Para que el pene se ponga*
> *erecto necesitas primero de*
> *la excitación mental...*

JUGUETES O AL NATURAL

Eloísa, 26 años, ama de casa,
Estado de México

Mi pareja es estable y bastante buena, creo. Tenemos cinco años de casados. La comunicación es estupenda, somos muy felices hasta ahora, pero eso no soluciona las cosas que están pasando. Tal vez mi educación fue limitada, o tal vez la de él, excesiva. Lo cierto es que mi pareja quiere utilizar cosas en la cama. Digo cosas como lubricantes, derramarse sustancias con sabores, usar juguetes, etcétera. A mí me da miedo, doctora. Siento que tendríamos que ser suficientes para el sexo él y yo, y nada más. Siento como que si permito este tipo de cosas, sería admitir que ya no nos bastamos, y de ahí en adelante me da miedo lo que pueda pasar. Al mismo tiempo me gustaría ser cómplice de él y jugar juntos, pero no puedo, temo algo inconsciente que ni acierto a explicar. ¿Quién está mal, doctora?

La doctora responde...

Efectivamente, Eloísa, la educación que nos dieron juega un factor importante en nuestra memoria y opera en nuestras percepciones. A las mujeres nos educaron para un sexo reproductivo, nunca para el placer. Pero ése es un precepto del pasado que pretendía poblar el mundo reproduciéndose, y que además era machista y te usaba para esto sin preguntarte qué pensabas o qué sentías como persona. La realidad actual es que somos conscientes de los hijos que queremos planear, menos hijos para darles más. A partir de ahí las relaciones cambian. Nunca nos hablaron a las mujeres del placer. La mexicana está teniendo un promedio de 2.4 hijos en su vida. Evidentemente no tiene 2.4 relaciones sexuales en su vida de pareja sino tal vez 2 400 —por ejemplo—. Por tanto, hay todo un resto de encuentros que no gozan de los mismos preceptos. Puedes permitirte a ti misma el placer sin miedo, tienes derecho porque eres un ser humano pleno, no un ser de segunda. La sexualidad humana es la única no animal que inventa el erotismo, es decir el arte de gozar mutuamente en pareja para crecer juntos. Esto permite la fantasía, el invento, decorarlo y ambientarlo como haces con otras cosas en el resto de tu vida cotidiana. Una hembra chango tampoco se maquilla, ni usa brassier, ni medias ni tacones, ¿o sí? Esto es lo mismo.

La sexualidad humana es una fantasía. Ser pretendidamente natural en esto sería remitirte a la sexualidad animal. Sin caer en fetichismos absurdos ni extravagancias, creo que es más correcto el que inventes paraísos para habitar con tu pareja, que al fin es una buena pareja en este caso y no tienes por qué tener miedo.

El juego simboliza y enriquece la imaginación. También de niña, seguro que jugaste a mil y un cosas que no eran ciertas, ahora también puedes hacerlo. Los juguetes no nos sustituyen, nos representan. Prefiero una mente capaz de fantasear que aquella que no imagina nada y ahí se acaba. Sé cómplice y compañera, pero —insisto— no por darle gusto, sino por crecer tú misma, no te limites amiga.

> *A las mujeres nos educaron para un sexo reproductivo, nunca para el placer.*

MACHO TRAVESTI

Juan José, 28 años, diseñador gráfico,
Ciudad Neza, Estado de México

Siempre tuve un secreto desde la infancia y luego con mi esposa. A escondidas, desde chiquito y hasta ahora, me gustaba vestirme de mujer. Pero ¡ojo, doctora! Nunca fui homosexual, por el contrario, verme como mujer me excitaba particularmente para acercarme a las mujeres. Y con esta fantasía cumplía sexualmente como hombre al mejor rendimiento. Pero nunca se lo dije a mi esposa, me parecía vergonzante esta tendencia. Por otro lado, yo era —soy— un hombre convencional y padre de familia. Yo no ando en ambientes extravagantes sino en la rutina cotidiana de ser el formal Juan José, con su esposa y sus hijos con todo lo que ello conlleva. Por eso mismo me resultaba muy difícil conseguir ropa de mujeres para mis fantasías ante el espejo a solas. Yo no me atrevía a ir a comprar estas prendas, siempre con la paranoia de que se darían cuenta de mi secreto si preguntaba por unas medias o un camisón, por unos ligueros. La ropa de mi mujer no era precisamente erótica sino de convento, cada vez más recatada y ortopédica con el devenir del tiempo. Pero ocurrió que mi cuñada vino a pasar a la casa un tiempo. Y ahora sí, lo que salía de la lavadora y amanecía tendido en el patio eran justo las prendas que yo soñaba. No lo pude resistir, y se las fui robando poco a poco hasta que la evidencia originó un conflicto en la casa. Lo peor fue que un día mi cuñada me cachó robando las prendas y, de un momento para otro, comprendió todo sin tener que explicarle nada. Ella era una mujer de mundo y parece que se las sabía todas. Pero fue terrible, doctora, me llamó maricón, depravado, fetichista (palabra que me resulta compleja), psicópata y... bueno. ¿Qué sé yo lo que me dijo esa mujer! Juró no delatarme si me ponía en tratamiento. Pero doctora, tratamiento ¿de qué? Yo no hago daño a nadie. ¿Soy un enfermo por esto?

La doctora responde...

Creo, Juan José, que estás hecho un lío entre tu pasión oculta y los acontecimientos que amenazan balconeo al ser descubierto. La pasión por vestirte de mujer no siempre es homosexual. Quiero que sepas que el travestismo (vestirse con ropas del otro sexo) existe de igual manera entre hombres heterosexuales como tú ya que no afecta en nada la tendencia sexual. De hecho hay un grupo de autoayuda llamado Crisálida que reúne precisamente hombres con tu misma tendencia, casados la mayoría, padres de familia, ardorosos por la mujer, pero con este capricho oculto que rara vez es entendido por uno mismo y, menos aún por tu pareja. El fetichismo que tanto te desconcierta es simplemente adoptar en un objeto cualquiera, toda la carga y el simbolismo de lo erótico. Hacer que ese objeto signifique algo en tu imaginación calenturienta. Y todos lo hacemos de alguna manera: las medias, los ligueros, los tacones, los labios húmedos, las pompas prominentes, los senos, el color rojo… y así hasta el infinito. Pero además en nuestra vida los objetos simbólicos se adquieren desde muy temprano. Alguien nos cuenta desde chiquitos que sólo somos hombre y mujer, y que no nos puede apetecer cualquier cosa que no nos corresponda. Todo esto limita al cerebro bisexual, polisexual mejor dicho, que como humano completo aspira a pensarlo todo. Las impresiones placenteras que tenemos del sexo, del gozo, del bienestar y biensentir, son siempre elaboradas en la infancia como primera impresión en nuestro cerebro blando. Recuerda, amigo, recuerda qué fueron para ti de chiquito las prendas femeninas, la envidia de unos adornos de mujer que compensaba la limitada vida del varón de ese entonces en tu medio. Todos tenemos derecho a reproducir placeres de la infancia, y de hecho lo hacemos permanentemente en cada gesto que pasa desapercibido. Lo que no es interesante es quedar clavado de manera absoluta en ellos y no poder crecer, no poder amar a otro, como niño enfermo sólo a la búsqueda del apapacho, repitiendo eternamente como imbécil un ritual recordado. Pero esto último no parece ser tu caso. Por tanto, amiguito, trata de compartir con tu pareja este capricho para que sea un juego cómplice en vez de una vergüenza. Invítala a ella también a que recuerde y se regocije en esos caprichos de chiquita, olvidados por miedo, a que los disfrutes de igual manera: tal vez cantarle una canción o hacerle piojito cuando se duerma, el dedo en la boca, la luz prendida… ¡quién sabe! Todos llevamos un niño dolido dentro, y el amor siempre lo cura.

> *Las impresiones placenteras que tenemos del sexo, del gozo, del bienestar y biensentir, son siempre elaboradas en la infancia…*

ME CACHÓ EN INTERNET

Eduardo, 32 años, abogado,
Monterrey, Nuevo León

Estoy en problemas, doctora. En las noches acostumbro quedarme a la computadora resolviendo muchos temas de trabajo que traigo a la casa para no demorar más en la oficina y poder estar con mi esposa.

Pero finalmente ella se duerme y me quedo solo. En Internet la tentación sexual, aunque sólo sea por curiosidad, es grande. Sin poderlo remediar entré a unas páginas pornográficas, ¡que bárbaras! En realidad no era la primera vez, ya tenía tiempo haciéndolo entre texto y texto, como si nada. Pero el otro día fue terrible. De pronto, mi mujer bajó y me sorprendió masturbándome con una escena subidita de tono. Bueno, intentándolo, porque realmente al verla el susto fue tal que de inmediato mi erección se vino abajo. Doctora, fue tragicomedia, porque intenté cambiar de página al sentir sus pasos inminentes y resultó peor, porque entré sin quererlo a una más bestial, que no era para nada la que estaba viendo. Pero no había disculpa alguna, yo estaba de unas fachas que gritaban la evidencia, y la pantalla empeoraba por momentos.

Se puede imaginar la reacción de mi esposa, no tengo palabras para poder repetir las cosas que me dijo. No me habla, se ha ido a dormir a otro cuarto, quiere divorciarse y, lo peor, se lo ha contado a su mamá, a sus amigas y a todo el mundo, incluso amenaza con contárselo a los niños. Yo, doctora, le juro que amo a mi esposa, que la adoro, que incluso me encanta sexualmente y tenemos una vida íntima de lo mejorcito. Ella y yo hemos compartido videos más de una vez, y hasta juguetes íntimos. Nunca le he sido infiel, de lo cual he estado orgulloso siempre; tal vez de pensamiento en alguna ocasión pero no paso de esto porque yo valoro mucho mi relación con ella. Seguro cometí una torpeza aprovechando la soledad de la noche, pero no soy un monstruo. ¿He destruido mi matrimonio por esto? Si es así: prefiero castrarme, se lo juro. No puede ser que toda mi vida se venga abajo por una estupidez. ¿Qué hago doctora?, mentir no tiene caso y admitirlo es peor, mucho menos con el tribunal inquisitorial de toda la familia que se ha formado en torno a mí. Oriénteme por favor.

La doctora responde...

Parece que sin remedio tropiezas con las frases terribles de tu profesión de abogado: sentenciado, tribunal, nada que alegar en tu defensa. Mejor deja la deformación profesional, aterriza a la sencilla vida humana donde las cosas no son tan grandilocuentes, es mucho más simple que todo eso. Para empezar, éste es un asunto íntimo y personal entre ustedes del que no tiene que participar nadie más, mucho menos la familia. ¿O acaso les notifica cuando tiene un orgasmo, cuando cambia de postura haciendo el amor o cuando tienen ambos alguna fantasía?, pues es lo mismo, igual de indecente el hacerlo extensivo a terceros. Lo que pasa que esta vez no ha sido compartido, amigo, y ése es el error y de ahí viene toda la venganza. Posiblemente ni ella misma lo entiende, ni tú tampoco en estos momentos, pero es preciso que reflexionen ambos al respecto. Nada de monstruoso tiene que seas curioso, es parte de la inteligencia humana que lleva a descubrir nuevas cosas. Pero en lo que sí has fallado es en el pacto de solidaridad para con ella. Eso exactamente es en lo que se siente traicionada. Ponte en su lugar por un momento. Imagina que te dice que te duermas tranquilo, que se queda escribiendo unas cartas o haciendo un trabajo, y la cachas en plan "manuela total" frente a unos cueros de hombres. Ah, ¿no que no? En realidad, el hecho en sí es infantil, inocente y para morirse de la risa; pero el drama viene en lo oculto. Si tienes una buena pareja, para que lo siga siendo, lo mejor es compartir y confesar nuestras fantasías, saber que nuestra mente es capaz de soñar con todo, pero que nos comprometemos a hacerlo juntos como aliados; eso es lo importante, no el instinto, que no hay por qué disculparlo, sino el compromiso. Si la primera vez le hubieras comentado que descubriste unas páginas que te excitan, de seguro ella hubiera querido verlas contigo para saber por dónde andan tus sueños. A partir de ahí todo sería distinto. Tal vez te hubiera esperado con alguna novedad en el lecho para que no eches nada en falta. Pero no por fuerza, igualmente válido es que te hubiera apapachado, comprendiendo lo fácil que es fantasear en la pantalla, o agradeciendo tu confesión, o que las hubiera visto contigo y te hubiera dado personalmente "realidad virtual" al momento. Qué bobo fuiste al esconderte como niño. Y qué absurda ella clamando al árbol genealógico por algo que se arregla con una confesión sincera y un buen abrazo. Habla con ella a solas, di la verdad y ninguna otra cosa, incluso muéstrale esas páginas, véanlas juntos y pregúntale si a ella no le parecen excitantes. Explícale la diferencia entre hacer esto y estar en un chat seduciendo a alguien, eso sí es cuerno aunque también sea fantasía.

Eduardo, tienes una gran pareja, no dejes que los convencionalismos y las intromisiones de terceros echen por tierra un tesoro. Te regaño, y la regaño a ella que tampoco supo ser sincera y decir lo que en verdad le dolía de este asunto. Muéstrale este escrito y hagan algo, no sean niños.

> *Nada de monstruoso tiene que*
> *seas curioso, es parte de la*
> *inteligencia humana que lleva*
> *a descubrir nuevas cosas.*

ME MASTURBO COMO CHANGO

Esteban, 19 años, estudiante,
Acapulco, Guerrero

Yo sé que está de moda decir que la masturbación no es mala, que no nos quedamos ciegos ni nos salen pelos en la mano y que no quedamos enanos. De hecho lo he comprobado porque, de ser así, ya tendría la mano más que peluda, pero no es así, veo perfectamente y mido un metro setenta.

Pero no es eso lo que me preocupa. Lo que pasa es que ya es una obsesión, no paro. Empecé de muy chiquito espiando a familiares y vecinas mientras se bañaban, incluso a mis papás que no eran precisamente muy cuidadosos con la puerta de su recámara. Ahora lo hago hasta cinco veces diarias. Veo a una chava, una película, cualquier cosa, hasta la simple foto de un anuncio con algo provocativo y tengo que correr al baño, ansioso, desesperado, como si no pudiera aguantar ni un segundo más sin tocarme. Fíjese que no soy feo, que soy atractivo y podría tener las chavas que quisiera a la mano aquí en el ambiente acapulqueño para acostarme con ellas, pero resulta que yo prefiero hacerlo a escondidas y solito. Pero no quiero preguntar a quien me responda cosas estúpidas (unos dicen que así es el hombre, y otros que soy un depravado), sólo confío en su criterio acertado, doctora. Para decirme si de verdad no me preocupo o merezco un jalón de orejas.

La doctora responde...

Has hecho bien en preguntar, Esteban, pues de verdad que sí estás en problemas. Una cosa es que masturbarse no es el horror de los horrores como nos venían diciendo, y otra muy diferente que seamos esclavos de una manía adictiva como pasa en tu caso. Cuando la pasión por masturbarse es incontrolable —al igual que si nos pasa esto en cualquier otra cosa—, significa que el dominio de nuestra persona se nos está saliendo de las manos (nunca mejor dicho), y que es el momento de pedir ayuda.

Por las historias que me cuentas, es fácil que hayas sido excitado precozmente en la infancia, demasiado pronto como para poder elaborar alguna salida al respecto. Si te das cuenta, sigues con la misma actitud infantil de espiar, de robar imágenes al mundo (como si fuera de adultos y tú nunca lo alcanzaras). Pero al crecer, tus propias hormonas te piden más y más de lo mismo. Una actitud es adicción cuando sentimos que no podemos vivir sin ella, cuando nos llenamos de ansiedad y buscamos hacerlo para calmarnos, sin resultados porque al rato siguiente estamos en las mismas. Siempre excitado, nunca tranquilo, un círculo vicioso enfermizo al que hay que buscarle salida. Pero no es cuestión de que yo te regañe y explotes de angustia, no se trata sólo de jalar las orejas, porque la redención y el arrepentimiento te durará dos días o, peor, me la transformarías en otra manía que ni sabemos, y puede resultar peor el remedio que la enfermedad. Éste es el error en el que incurren muchos asesores morales dándote prohibiciones a la ligera, sin el más mínimo conocimiento de psicología, olvidando que la represión (en vez de la educación) de un instinto tiene siempre su precio, y a veces es demasiado caro en el equilibrio de la persona.

Por eso, te recomiendo tratamiento inmediato con un sexólogo, o un psicólogo, me da lo mismo. Cuando Freud dice que el niño es el padre del adulto se refiere exactamente a esto, a que las primeras impresiones de la infancia, si no las ajustamos en el crecimiento, se quedan fincadas como un resorte que nos obliga a hacer cosas que ni siquiera conscientemente queremos. Tienes una buena cabeza para entender las cosas, no te llevará mucho tiempo el reajustar este impulso con la terapia adecuada. Una advertencia importante: si lo dejas así, no mejorará por sí mismo; al contrario, empeorará. No me gustaría que acabes detenido por mirón o, un día, convertido en un violador por la pasión de robar instantes en vez de merecerlos y ser amado.

> *Una actitud es adicción cuando sentimos que no podemos vivir sin ella, cuando nos llenamos de ansiedad y buscamos hacerlo para calmarnos, sin resultados porque al rato siguiente estamos en las mismas.*

MI PENE ESTÁ DORMIDO

Andrés Miguel, 23 años, estudiante de ingeniería,
Ciudad Altamirano, Guerrero

Yo no sé si alguna vez le habrán hecho una consulta como la mía, doctora. Y es que el asunto está muy raro. No siento nada en mi pene, nada. En las relaciones sexuales digamos que "cumplo" correctamente, pero es como si mi cerebro no sintiera placer alguno. Por otro lado, me han practicado sexo oral en muchas ocasiones, que según mis amigos es lo máximo. Pues bien, tengo erección, eyaculo, pero no siento nada. Yo no lo confieso, disimulo como si me encantara porque no tiene sentido. Le juro que jamás oí a nadie hablar de un problema semejante, ¿qué me pasa?

La doctora responde...

Tienes razón en encontrar raro tu caso porque en verdad es poco frecuente. Pero no te fijes en eso. Yo ya sé que consuela el saber que el problema de uno es "normal" porque lo padecen miles de personas y que tal vez te sientes como un "perro verde". A cambio, te diré también que de cualquier modo, aunque les pase a pocos, este cuadro está descrito por la medicina y la sexología. Lo que te pasa se llama técnicamente anhedonia sexual (falta de hedonismo) y consiste en que el cerebro no recibe señal de placer alguna, hagas lo que hagas aunque el cuerpo te demuestre lo contrario. La causa puede tener dos orígenes muy distintos: uno físico y el otro psíquico. Mi consejo es explorar primero lo físico porque es más fácil. Se trata de que vayas a un urólogo para averiguar si los nervios que conducen la información sensible de tus genitales a tu médula espinal (en la columna vertebral) están correctos, porque ello puede ser una de las causas. El urólogo comprobará si en verdad hay sensibilidad consciente en el pene, y sobre todo si hay anestesia en torno al ano y los testículos para saber si hay un problema neurológico (de vías nerviosas) de ahí al cerebro.

De no encontrar nada aquí, tendríamos que recurrir a un psiquiatra, averiguar por qué tu mente bloquea las señales de placer, y esto es más serio porque nos hablaría de una alteración de la personalidad, de tipo histérico u obsesivo. No olvides que la mente también es tremendamente potente y de pronto miedos adquiridos desde la infancia, culpas de pecado o falta de autoestima te pueden llevar a bloquear el hermoso placer del sexo.

> *...la mente también es tremendamente potente...*

NO QUIERO QUE SE ME NOTE

Ana Luz, 16 años, estudiante,
San Luis Potosí

Hay algo que me tiene muy preocupada. Dice mi mamá que cuando una mujer ya no es virgen, luego luego se le nota de inmediato porque se le ensanchan las caderas, que si alguna vez me acuesto con un hombre ella lo sabrá ese mismo día por la forma de mi cuerpo. No quiero que esto pase porque se enojaría muchísimo y lo mismo va y me corre de la casa. Además de esto yo pensaba tener relaciones algún día con mi novio, pero no me gustaría echar a perder mi figura porque soy delgada y quiero seguirlo siendo. Si es así, prefiero ser virgen toda la vida. ¿Qué puedo hacer, doctora?

La doctora responde...

Todo esto es una absoluta mentira, un mito, una majadería sin fundamento. Es curioso que, en vez de la cultura, se extiende mucho más veloz y con persistencia la incultura sexual como si fuera cátedra. Este tipo de leyendas son utilizadas para asustar a las niñas y que sean "buenas". Pero la mentira nunca puede ser buena porque no permite a la persona ejercer su libertad y su criterio, ni cuidarse o decidir su destino manejando el control verdadero de su cuerpo y sus emociones. De esta manera, han tratado hasta ahora las doctrinas oscurantistas de apartarnos del sexo, con mentiras en vez de con informaciones válidas. Y así nos ha ido... ¡como en feria!, no funcionan y nos hacen desgraciados. Si tu mamá, Ana Luz, en vez de emplearse en esto, hablara contigo de sexualidad a fondo, entonces no te amenazaría con cuentos, mejor te hablaría de que el sexo puede ser un goce maravilloso con la persona adecuada, pero a cambio tendrás que prepararte para evitar hijos no deseados o enfermedades de transmisión sexual tan mortales como el SIDA (y no ensanchamientos de caderas). Ya ves, de esto no te habla. De modo que el día que descubras que tu línea no cambia por acostarte con alguien, entonces te lanzarás ignorantemente en brazos de tu novio sin haber tomado ningún otro tipo de precauciones. Eso es lo triste de las mentiras, que ocupan el lugar de las verdades y te matan. Que te quede claro, amiga: el pene no es una varita mágica capaz de cambiar el esqueleto de nadie. Si así fuera sería un gran descubrimiento porque, por ejemplo, poniéndolo sobre los senos lograríamos que aumenten de tamaño y nos ahorraríamos mucha cirugía plástica, pero fíjate que no es así.

Por supuesto que a medida que crezcas (hasta los 25 años) tu cuerpo se irá modificando, dejando el aspecto adolescente hacia formas de mujer más madura, pero esto ocurrirá de cualquier modo seas virgen, ninfómana o sexoservidora, tengas novio o seas monja, ¿de acuerdo? Adquiere cultura sexual, de la buena, de la que no miente y no amenaza, de la que es útil y te ayuda a ser más libre y más feliz, como mujer y como persona, y por favor hazlo antes de tomar una decisión desde la ignorancia.

> *...la mentira nunca puede ser buena*
> *porque no permite a la persona ejercer*
> *su libertad y su criterio...*

OBSESIÓN SEXUAL

José Arturo, 25 años, veterinario,
Guadalajara, Jalisco

Mi problema surge a raíz de que me abandonó ni novia. Nuestra relación duró casi cuatro años. Nos conocimos hasta donde pudimos o hasta donde quisimos, tuvimos muchas experiencias juntos, buenas, malas, de todo. Tuvimos sexo, mucho sexo, tuvimos… incluso la idea de casarnos. Pero todo quedó en solamente palabras. El problema radica en que me volví un adicto al sexo con ella, me convertía en otra persona, obsesionado, necio, vehemente con la carne, quería estar siempre con ella pero para hacerle el amor todo el tiempo sin descanso. En principio, era bonito y nadie le tomó importancia, hasta que la cansé. Además me volví muy celoso y finalmente todo terminó, pero no mi dolor y la soledad que todavía me arrastra y que a veces no sé ni cómo controlarla. Inicie lo que inicie, termino siempre pensando en ella y deprimiéndome otra vez. Ni siquiera tengo ahora otra novia, por lo mismo, y te aclaro que ella me dejó por otra persona. Al decir de la gente hacíamos la pareja ideal, pero ya ves, nunca falta algo para echar a perder las cosas… Bueno, Anabel, sólo quería desahogarme un poco.

La doctora responde...

No es sensato que pienses que siempre aparece "algo" para echar a perder las cosas. Somos protagonistas de nuestros acontecimientos, y sólo el repasarlos y reflexionar, el buscar las causas de los resultados que ocurrieron, sólo eso nos puede librar de no cometer los mismos errores. Si no lo haces, de nada servirá una nueva novia porque "alguien" y no "algo" echará a perder las cosas. Fíjate que todo lo atribuyes como problema central a tu deseo imperioso de hacer el amor todo el tiempo. Casi pasas de lado lo de que te volviste muy celoso, y yo creo que este factor es mucho más crucial para el cansancio o la hartura de ella. Los celos obsesivos son una enfermedad que no se cura sola, que no se calma con nada que te diga el otro, que crecen como la mala hierba, te destruyen por dentro y por supuesto destrozan la pareja. Tal parece que agobiaste a tu novia y hubiera sido vital en ese momento el hablarlo y pedir ayuda. Si no lo hablaron a fondo, si sólo se reprocharon las mutuas molestias, tampoco eran, desde luego, la pareja ideal por mucho que a la gente así le pareciera. La pareja primero descubre y luego construye, creo que les falta esta importante segunda fase. En cuanto a la manía sexual, desde luego, es también otro rasgo obsesivo al igual que los celos, y ambos síntomas hablan de una insatisfacción personal muy dentro de ti, de estados de ansiedad posiblemente arraigados desde tu niñez, de miedo ancestral a no ser querido, a ser poco, a ser menos… Ya ves que al poner demasiado empeño al final se te hace y te cambian por otro. Esta ansiedad inconsciente nos mueve a realizar distintos actos obsesivos y compulsivos para calmarla, y de momento parece funcionar porque nos deja como aliviados. Pero dura poco la dicha, y luego regresa la ansiedad aún más fuerte y nuevamente: sexo, celos, repetir actos calmantes que cada vez calman menos, como si de la adicción a una droga se tratara. Te recomiendo ayuda psicológica, tratar la ansiedad, averiguar su causa, y a partir de ahí poder regular tus acciones de manera que sean eficaces y te compensen en sus resultados. No lo dudes, soluciona el fondo del problema antes de embarcarte en una nueva relación, merece la pena. Por otro lado, la soledad que sientes por la pérdida, por el duelo: es normal y sano que así ocurra, es un luto emocional en el que parece que nos hubieran arrancado un pedazo de nosotros mismos. Concentra esa energía en rehacerte y verás que el tiempo cicatriza las cosas para retomar el amor, el verdadero amor que te espera a la vuelta de la esquina y que te mereces.

> *La pareja primero descubre y luego construye…*

PARECE QUE NO RESPONDO AL SEXO

Ana María, 21 años, secretaria,
Distrito Federal

Desde hace un año mi novio y yo estamos teniendo relaciones sexuales. En este tiempo han sido ocho veces exactamente. En ninguna de ellas he podido experimentar un orgasmo. No sé a qué se deba esto y realmente me provoca inseguridad en mi relación, ¿qué está pasando, doctora? ¿Soy anormal? ¿Soy frígida?

Ayúdeme por favor.

La doctora responde...

Una mujer no es una licuadora que le prendes el *switch* y ya.

Alguien se inventó (imagino era hombre) que la mujer goza muchísimo sólo con que un hombre llegue, penetre y eyacule dentro de ella. Las mujeres al sentir que esto no era así y creerse todas frígidas, inventaron los gemidos de placer y dijeron que sí, que sentían muchísimo, pero no es cierto. Es tiempo de hablar claro, y la ventaja es que tú lo estás haciendo. La mujer tiene mejores zonas de excitación que la vagina: el clítoris concretamente. La mujer tiene otro ritmo diferente al masculino, ella precisa caricias previas y tarda más que los cinco minutos en que él resuelve su pene. Pero definitivamente la solución es aprender.

La sexualidad humana no es instintiva, es educada, y por tanto hay que culturizarse antes, ambos por cierto. Tú tienes que conocer primero tu cuerpo y explicarle que es diferente al suyo, y él habrá de tenerlo en cuenta porque no lo sabe. Es responsabilidad, primero tuya y luego de ambos. Toca tu cuerpo, siente tu clítoris, tus zonas de placer. Luego lean juntos. Les recomiendo mucho mi libro *El universo de la sexualidad.* Ni eres anormal ni te pasa nada. Lo anormal es el silencio respecto a la mujer en que hemos venido viviendo.

> *La sexualidad humana no es instintiva,*
> *es educada...*

¿POR QUÉ YA NO ES IGUAL?

Héctor, 25 años, estudiante de Derecho,
Mexicali, Baja California

Tengo un año y medio de casado y me preocupa cómo han cambiado las cosas con mi sexualidad. Mejor le explico mi historia. De adolescente yo me llegaba a masturbar hasta 6 veces al día. Luego al tener novia ya no lo hice tanto porque campechaneaba mi ímpetu con ella, de modo que me masturbaba sólo como una vez a la semana. Años más tarde me casé, y el drama es que ahora ya nada más puedo "echar uno" por la noche (disculpe la expresión, pero usted me entiende) y después tardo en conseguir una segunda erección durante al menos cuatro horas. Yo antes "me echaba" por lo menos tres en una noche romántica, y ahora después del primero aunque quisiera ya no se me para de inmediato y eso me preocupa, ¿qué puedo hacer? Pienso que esto se debe a que de chavo abusé mucho de la masturbación, ¿será por esto?

La doctora responde...

Amigo, creo que no te has parado a pensar que con el paso del tiempo nada es igual en la vida, el sexo tampoco. Al cambiar, al crecer, al evolucionar, al madurar, uno va haciendo distintas cosas. Sin embargo tú pareces compararte con el que eras antes y te sientes aterrado del cambio, como si alguien te hubiera garantizado que aquello iba a ser así toda la vida. Piénsalo un poco. Tu vida ha cambiado en la casa que habitas, en la relación que tienes, en lo que haces, hasta en lo que comes y cómo te vistes. Es lógico. Si todo se quedara igual serías lelo, ¿verdad? Imagina que me reclamaras que tú antes, de bebé, podías hacerte pipí encima y nadie te reclamaba nada, que simplemente te cambiaban el pañal, que por qué ahora no te dejan hacerlo tranquilamente en la ropa y te ves obligado a ir al baño y hacerlo solito a determinadas horas. Por idiota que te parezca el ejemplo, es lo mismo de lo que estamos hablando: el cambio, la evolución.

Lo que pasa es que la sexualidad nos la muestran como un hallazgo fijo para cuando seamos adultos, como que fuera una cosa congelada que no cambia ya jamás y que cuando la descubres ¡ya está!, para siempre igual, como las tablas de multiplicar. No, amigo, la sexualidad es un afecto, y como tal evoluciona y cambia con nosotros mismos a lo largo de diferentes etapas. La fogosidad masculina tiene un pleno de ardor a los 17 años, sigue hasta los 20, y a partir de ahí se amansa. De otro modo no habría tiempo para hacer otras cosas y seríamos unas bestias calenturientas todo el rato. El sexo va cambiando cantidad por calidad, no es que se deteriore ni que estés enfermo. En el enamoramiento se te hace poco una vez tras otra. Luego con la pareja fija, el cerebro inteligente va cediendo paso a otras cosas y reparte la energía en el tiempo compartido con la otra persona. Por supuesto tampoco se excita igual con lo conocido que con lo recién descubierto, es normal. Pero ¡ojo! No lo vivas esto como un castigo porque te masturbabas de chico. La masturbación no tara, al contrario ejercita; y desde luego no es una enfermedad que cause secuelas. Si no entiendes esto así corres el riesgo de pensar que, cuando al envejecer tengas arrugas, tal vez sean producto de una venganza cósmica por haber mojado la cama de chico. Deja la culpa oscurantista atrás y mira adelante con alegría. No te claves con las cifras de la juventud en la que igual trotabas más pero, desde luego, eras más imbécil sin duda. Y sobre todo sospecha del pasado porque no es tu tiempo aquel, es éste.

> *...nada es igual en la vida, el sexo*
> *tampoco.*

QUIERE MÁS SEMEN

Paco, 18 años, estudiante,
León, Guanajuato

Mi duda es si está bien, si es normal o natural que al eyacular salga tan poco chorro que ni siquiera llene de semen una corcholata de refresco. He oído historias de que casi casi salen torrentes de semen en otros hombres y bañan a la pareja, ¿es cierto?, ¿soy anormal? Casi a diario tengo relaciones con mi chava y quisiera dejarla bien mojadita pero no puedo, ¿hay solución?

La doctora responde...

Vaya cuento que te han contado, amigo Paco. El pene no es manguera de riego, no hay tales chorros, ni borbotones, ni cataratas, ni olas de *surf* a la hora de eyacular, eso es un mito sin fundamento, un cuento de presumidos de cantina, una vil mentira, un fantasma del pene todopoderoso capaz de hacer milagros. Pero fíjate que estas burlas surgen también a raíz de las películas pornográficas donde se le da un especial énfasis al eyaculado. Siempre se muestra, el hombre saca en ese momento su pene de la vagina, de la boca o de cualquier otro orificio en el que lo tenga metido para mostrar a la cámara la emulsión sexual sobre la cara, pechos o espalda de la compañera. Esto se hace para certificar que es orgasmo real y no simulado, pero lo cierto es que esta escena se truca con leche condensada y mil utilerías más del cine, de modo que no falta quien se exceda grotescamente y haga correr ríos de semen que jamás existen en la realidad. Es normal eyacular unos pocos mililitros, o de otro modo imagínate que jamás cabrían en un condón. Pero también te digo que si haces el amor a diario esa cantidad es menor porque casi no das tiempo a fabricar nuevo semen a tus testículos. Prueba la abstinencia una semana y verás cómo la cantidad es mayor, si es que eso te hace feliz. Por cierto, ¿se están cuidando del embarazo y de las enfermedades sexuales, incluido el SIDA? Te lo pregunto porque vino a mi mente tu pasión por dejarla "mojadita" y me empecé a preocupar con los rumores que transmiten virus e hijos. Cuídense, y no andes midiendo la cantidad sino la calidad.

...estas burlas surgen también a raíz de las películas pornográficas...

QUIERE VERME CON OTRO

Julia, 36 años, intérprete,
Torreón, Coahuila

Tal vez mi pregunta puede parecer absurda porque yo no soy desdichada, todo lo contario. Soy feliz con mi esposo y quiero seguir siéndolo, pero algo me inquieta. Es por eso que le hablo, porque nadie como usted me inspira tanta confianza como para contar algo tan íntimo. Después de los primeros tres años de matrimonio, una noche hablamos de lo que nos callamos, de lo que nos ocultamos, de lo que nos gusta y siempre callamos. Él me dijo que su mayor fantasía sería verme con otro hombre estando él presente. Yo, en un primer momento no supe cómo interpretar esto.

Primero me pareció traición el involucrar a un tercero, luego lo comenté con mis amigas y me dijeron que tenía suerte, que podía echarme a alguien con su permiso. Después de todo, con la sorpresa y las ventajas que me dicen, no deja de inquietarme por qué me lo pide. Doctora, yo lo amo y hago por él lo que sea, esto y más. Pero el asunto es tratar de entender por qué me pide algo así, eso es lo que mi inquieta ¿puede ayudarme?

La doctora responde....

Creo que sí puedo ayudarte, amiga. Sobre todo a alguien como tú, tan pensante, que ha valorado con honestidad múltiples cosas sin prejuicios. No eres "mocha" ni "tapadita", eres amorosa y abierta, pero no eres idiota, eso es diferente. En vez de asustarte pensemos tranquilamente acerca de lo humano, de lo masculino y, por supuesto, de lo femenino, aspectos todos que te involucran. Él quiere verte con otro.

Pero espera, no es como dicen tus amigas, la oportunidad de "poner el cuerno" con permiso; no, no se trata de eso, querida. "Poner el cuerno" tiene que ver con la falta de permiso, no con esto. La situación que tienes no es tuya, es de él, partamos de esta base, ¿de acuerdo? No está loco ni es un enfermo; él tiene una fantasía más común de lo que creemos, la cual comúnmente se oculta para que no haya conflicto, y pocas personas son tan valientes para confesarlo como tu pareja. Verás, Julia, la fantasía que te cuenta tiene varias vertientes. Por un lado, casi todos tenemos el recuerdo sexual primario, la primera noticia erótica de mamá y papá. Eso imprime modelos de gozo, olvidados luego en el devenir de los tiempos, pero fantaseados sin remedio en las primeras molduras de la educación erótica. Nada de terrible tiene, sobre todo si te lo cuenta en vez de convertirse en un perverso frustrado que lo oculta. No está mal que la pareja dé cabida a ese niño irresoluto que escondemos de la infancia. De alguna manera, al convertirnos en pareja, asumimos eso y más, no sólo el adulto aparente que nos seduce, sino también las "ñáñaras" pendientes, los apapachos y los miedos infantiles que el otro asume como tu amante, pero también como tu padre-madre, como tu hermano-cómplice, tu colega, como el mejor de todos ellos. Tal vez, que quiera verte con otro le sirve para compararse con los iguales, tal vez para envidiarlos. Pero también —más allá— la escena le sirve para sentirse mujer a través de ti, para identificarse y usurpar lo que tú sientes porque lo envidia. No importa. Sólo te digo una cosa: pensarlo es libre, hacerlo es otra cosa. Por un sencilla razón: simplemente porque el otro en cuestión, el tercero, más allá de ser una fantasía tuya, resulta que existe a su vez, que se involucra, que se complica porque pone sus sentimientos en juego y hay que tenerlo en cuenta. Por eso te digo finalmente que, si se deciden a hacerlo, es incluso más sano un sexoservidor que los complazca en lugar de un cuate que los meta en líos con terceros. Así de claro.

> *No está mal que la pareja dé cabida a ese niño irresoluto que escondemos de la infancia.*

QUIERO SEXO NATURAL

Ariadna, 23 años, pasante de Derecho,
Monterrey, Nuevo León

Doctora, le escribo para que me ayude a encontrar una buena solución para mi vida sexual. Hace ya tres años que tengo relaciones con mi novio y a cuenta de cómo cuidarnos, en la cama nos va de mal en peor. Me explico. No crea que soy una persona desinformada, todo lo contrario. Después de ir con un ginecólogo me recomendó la píldora, pero la dejé porque no me gusta eso de estar tomándome una pastilla todos los días, estoy muy en contra de los químicos, yo prefiero las cosas naturales. El mismo ginecólogo quiso después colocarme un DIU (dispositivo), pero me negué porque no me gusta la idea de llevar dentro de mí un cuerpo extraño, eso me parece muy artificial. Los condones no me gustan, ni a mí ni a mi novio, como que no es lo mismo. Finalmente decidimos usar el método del calendario, es decir tener relaciones sólo en los "días seguros". Pero fíjese que a veces no coinciden nuestras ganas: o bien necesitamos emocionalmente hacer el amor en un día que "no toca", o no se nos antoja cuando "toca" (que por cierto son muy pocos días al mes). ¿Qué puedo hacer, doctora?

La doctora responde...

Querida Ariadna:

Creo que lo principal es que encuentres un método para tu cabecita antes de para tu cama. Me hablas de que no te gusta la química, ni los aparatos mecánicos, ni las fundas de látex. Te diré algo: la anticoncepción no es un capricho que puedes tomar con la misma levedad que si vas a la modista, donde efectivamente dices: este color me gusta, ése no, el otro no me va, etcétera. Seamos serios. En la vida hay que distinguir el objetivo principal de los secundarios. Aquí el principal es no tener un hijo no deseado (tenemos 30,000 abandonados sólo en las calles del Distrito Federal).

Por tanto, no puede ser que me vengas con "ñáñaras" de niña consentida y caprichosita en cuanto a las molestias secundarias, que por cierto en este caso son más ideológicas que objetivas. Mejor no seas tan "atacadita". Tal vez la pastilla es química, pero es una hormona (como las que tú tienes), y química es también lo que ocurre en tu cuerpo si te embarazas con la física de tu novio encima. Por cierto que en esos momentos no te molesta tener dentro de ti un "cuerpo extraño", tanto o más que el dispositivo. Si todo te molesta hay una solución muy sencilla: no tengas relaciones, que también es natural. Ah, ¿verdad? No todo lo natural es por fuerza mejor que lo artificial. Naturales son las inundaciones que han devastado medio México, naturales son los ciclones, los huracanes, las erupciones volcánicas, las setas venenosas y la mariguana. Artificial es el parto asistido que evita muertes de hijos y madres; artificiales son las vacunas, las radiografías que te pueden detectar un mal mortal y salvarte, la cirugía… Resulta chistoso ver que hay gente que no le importa ponerse unos senos de silicón, pintarse el cabello, maquillarse los ojos o los labios de carmín rojo; sin embargo les da un ataque sólo de pensar en tomar una aspirina.

Aclara tu cabecita, amiga. La píldora (si tras revisarte el ginecólogo decide que eres candidata a tomarla) es el método más seguro en cuanto a anticonceptivos, le sigue el DIU, y el condón por su parte es el único que cumple dos objetivos a un tiempo: evita el embarazo y las enfermedades de transmisión sexual (incluido el SIDA). ¡Ah! y el látex es natural, por cierto. De otro modo, "naturalmente" acabarás teniendo un hijo que no deseas o que no estás en condiciones de atender en estos momentos. Por cierto, se me olvidaba decirte que química es también la adrenalina que corre por tus venas cuando eres desgraciada, cuanto tienes estrés, cuando tus relaciones sexuales son un desastre en vez de un paraíso que reafirme los lazos de la pareja.

Ya ves que la química forma parte de nuestra vida, el cerebro es todo química, así que menos ascos.

> *...y el condón por su parte es el único que cumple dos objetivos a un tiempo: evita el embarazo y las enfermedades de transmisión sexual (incluido el SIDA).*

SÓLO FALLO EN CASA

Alfonso, 34 años, capitán de meseros,
Los Mochis, Sinaloa

Doctora. Estoy asustado por lo que me está pasando. Sufro de impotencia sexual, pero no siempre, y esto es lo que me tiene preocupado porque no es norma. Le confesaré la verdad. Tengo 10 años de casado y últimamente como que no me apetecía tener sexo con mi esposa, llego muy cansado del trabajo. Yo la amo mucho, pero digamos que el juego y el morbo se apagaron un poco por costumbre y rutina, como que ya no me prende. Yo me hacía menso para evitar la intimidad en la cama por falta de ganas, pero ella insistía todo el rato llena de reproches de que ya no la quiero, de que esto, de que lo otro. Para no quedar mal como que le eché ganas al intento, pero mi pene no se acababa de parar unas veces, y otras se venía abajo y se quedaba blandito a mitad del acto. Ya me acabó preocupando esto de que soy impotente tan chavo y esta idea hasta me quitaba el sueño. Pero resulta que la semana pasada en una cena de cuates llevaron unas chavas buenísimas y bien animadas a entrarle a todo. Yo no quería, pero con las copas y por no quedar mal con los compañeros pues acabé entrándole a una de ellas. Y fíjese doctora que ahí no me falló nada, que quedé como un rey y hasta repetí sin problema en mi pene. Entonces, ¿soy impotente o no soy impotente?, ¿es culpa de ella o se trata de cambiar de vieja?

La doctora responde...

La impotencia sexual, la falta de dureza en el pene, tiene causas de dos tipos: físicas y psicológicas. Cuando son físicas falla siempre cada vez más, y habrá que resolverlas con el médico. Cuando son psicológicas dependen de la estimulacion sexual que haya en tu mente, y esto último es precisamente tu caso. De cualquier modo —dicho sea de paso— hoy en día a este problema se le llama "disfunción eréctil", es decir que falla la función de la erección del pene, en vez de llamarle a alguien "impotente" que parece un insulto sobre todo a su persona. En el matrimonio es fácil que nos carcoma la rutina, mejor dicho, nos hacemos rutinarios y aburridos. Nada nos sorprende porque todo se repite y es "pan con lo mismo", todo es siempre igual, maniático, exacto, calculado, predecible, tedioso, sin sorpresa alguna, y como consecuencia al llegar a la cama faltan alicientes que prendan la mecha del sexo. Pero esto no es culpa del matrimonio, es culpa de uno mismo, que se hace aburrido no sólo de noche sino también de día. Toda la energía que pusimos para seducir al otro cuando éramos novios, parece que de pronto no nos importa y sólo le regalamos ronquidos, mal aliento, un aspecto deplorable y hasta gases nocturnos porque dicen que "donde hay confianza da asco". Por supuesto que la novedad excita por sí misma y es suficiente con que sea un cuerpo desconocido para que todo el aparato mental calenturiento se ponga en marcha. Pero si muerdes el anzuelo estarás equivocando las cosas. Con esa misma chava que te puso como loco, convertida en tu esposa, pasará exactamente lo mismo: ningún amante ronca la primera noche, sólo los maridos ¡qué curioso! Mejor aprende de la experiencia y trata de poner un poco de chispa en tu vida, en tu cuarto, en tu cama, en tus juegos sexuales, en tu imaginación, en tu inventiva y en tu capacidad de sorpresa. Juega con tu esposa a cosas atrevidas y novedosas, en lugar de considerarla algo fijo como un mueble; de la misma manera, sorpréndela de modo que resultes un galán irresistible porque te aseguro que ella tampoco se está divirtiendo mucho con tus intervenciones eróticas desganadas y de medio pelo. Te lo dejo de tarea, manos a la obra.

> *Juega con tu esposa a cosas*
> *atrevidas y novedosas...*

¿SOMOS PERVERSOS?

Jaime y Eloísa, matrimonio de 28 y 27 años, profesionistas,
Distrito Federal

Tenemos 9 años de casados. Nuestra vida sexual ha sido cada vez más placentera con el paso de los años, así como nuestra comunicación al respecto. Ambos tenemos fantasías sexuales y usualmente las platicamos. Un buen día coincidimos en que a ambos nos complacería tener relaciones sexuales con un perro. Lo hemos hecho 4 o 5 veces como variante, y a los dos nos ha gustado. Yo me considero una persona normal y ella también, tenemos dos hijos a los que amamos profundamente, ambos trabajamos y en general no tenemos problemas para socializar. No nos sentimos mal con lo que hacemos, sin embargo nos inquieta el saber si este tipo de actividad se vincula con algún problema psicológico o emocional y si existe riesgo de contagio de alguna enfermedad o infección en particular. También queremos saber si hay en México algún lugar donde podamos encontrar información sin prejuicios y confiable sobre el tema de la zoofilia.

La doctora responde...

Ustedes piden información sin prejuicios, y así se las daré por duro que resulte. Los prejuicios consisten en juzgar antes de tiempo sin saber. Por eso les voy a hablar de juicios, sabiendo. No apelaré a normas morales porque sé que es lo primero que causa rechazo, y espero que después de mi consejo recapaciten sobre ello y establezcan su moral personal de valores ustedes mismos, de valores no religiosos sino humanos, no mágicos sino racionales. La zoofilia existe desde siempre en pastores y campesinos aislados porque: cuando no hay más, contigo Tomás; también en personas con taras físicas o emocionales que no pueden atreverse a acercarse a otros por miedo al rechazo, y en todos ellos una vez superada la soledad o el trauma se abandona como práctica. Pero creo que no es el caso de ustedes, ¿no es cierto? Lo que están haciendo es una forma infantil y retrógrada de sexualidad, que no les aporta nada como personas y sí lastiman a un tercero, aunque sea un animal. El perro no está tan alejado evolutivamente de nosotros, tiene más genes comunes que diferentes. Cuando decimos que el humano es un animal racional es porque puede ejercer la razón por encima del instinto, y a eso apelo. No me cabe duda que se les ocurriera porque la mente es ilimitada. Tampoco que les guste porque penetrarlo o ser lamido es, en sí mismo, agradable si no piensas nada más al respecto. Pero, amigos, por favor, seamos sensatos. No veo la necesidad de violar (así, violar) a un ser vivo que siente y padece, que no es atraído hacia tu especie, y utilizarlo como un juguete sin respetarlo.

Con el perro no están estableciendo ninguna relación emocionalmente sexual que les reditúe. Por tanto, podrían utilizar un juguete que ni siente ni padece, que te da placer y te obedece sin daño, que vibra a tu antojo con velocidades, y que además es más higiénico. ¿Por qué dañar a un tercero?, ¿por qué utilizar como cosas a seres animados? Creo que no es adecuado, aunque esto parezca un sermón. Que el cerebro se caliente no es un pretexto para no controlarlo y ponerle orden. Piénsenlo un momento. Si la justificación de que me dé placer es suficiente, entonces tendrían razón los pedófilos que utilizan a un niño para satisfacerse, piensen en sus hijos, ¡ah! ¿no que no? Si fuera por placer, ¿por qué no la propia madre o la vecina sin permiso? Pues simplemente porque decidimos y ponemos límites. Dirán que los estoy comparando con el perro, pues sí, y sin recato. Un animal que está contigo merece respeto, como tú y tu esposa, como tus hijos, porque te has hecho cargo de él, dándole dignidad. En su vida sexual ya decidirá él con quién, cuándo y cómo, y sobre todo para qué, porque el instinto animal pretende únicamente reproducirse y no sabe nada del erotismo, y tiene derecho a ello. De la misma manera, si el perro pensara un día sólo en sí mismo, podría devorarte, y no lo hace porque está domesticado: no lo estén ustedes menos. Si no se ponen límites a la calentura no merecemos el atributo de humanos. El placer lo puedes obtener de mil maneras, en tu sabiduría y criterio estará distinguir dónde sí y dónde no. De otro modo, prefiero que consultes al veterinario tus males, en vez de a la doctora. En cuanto a enfermedades, por supuesto que las hay, pero lo triste es que corre más peligro el pobre animal que ustedes. Yo no creo que ustedes sean exactamente zoófilos (que al final se trataría de un enfermo digno de tratamiento) sino abusivos y huevones. Si te consuela el hecho de encontrar alguna dirección donde compartan tu falta de consideración, de seguro en internet las encontrarás a millones, pero me niego a ser un intermedio para conectar a los equivocados que se tranquilizan al comprobar que son muchos.

> *El placer lo puedes obtener de mil maneras, en tu sabiduría y criterio estará distinguir dónde sí y dónde no.*

SOY CALENTURIENTO, HOMOFÓBICO Y MACHISTA

Arnoldo, 32 años, contador,
Distrito Federal

La verdad, doctora, que esta carta no sé si es para presumir o para pedir ayuda, aún no lo tengo claro, pero desde luego quiero contarle algunas cosas. Yo fui educado como macho, pero eso no quiere decir como monstruo sino que así se ha venido educando tradicionalmente a los hombres. Es decir, que yo soy gentil con las damas, asumo los gastos, las protejo, pero, desde luego, que mi voz vale más que la suya, ¿o de qué se trata? Si no somos iguales, ¿por qué vamos a serlo de pronto? Lo que pasa ahora es que el mundo está vuelto al revés, lo que era negro ahora es blanco y lo que estaba arriba ahora queda abajo. Mi novia se niega a obedecerme, sus amigas me acusan de lo peor, porque no quiero que trabaje ni estudie, para eso estoy yo, para mantenerla, para hacerla mi esposa y que no se tenga que preocupar de nada. Comprendo que haya mujeres pobres que lo necesitan, pero no es el caso. Tampoco me obedece en el tipo de ropa que usa, lleva minifaldas y yo quedo en ridículo. En el sexo es aún peor, porque dice que no siente placer conmigo, que antes lo simulaba pero que se cansó de fingir, que no le hago caricias previas. La verdad doctora que a veces me pongo a cien, y cuando llegamos a la cama pues no me la voy pasar diciendo tonterías al oído y perdiendo el tiempo, voy a lo que voy, y no crea que eso sea un delito. Tampoco le gusta que pase tiempo con mis amigos, ¿qué quiere, que lo pase con las viejas como maricón? Eso que lo haga ella, que total para hablar de las idioteces que habla no necesita más compañía. El mundo de las mujeres es muy simple, y el nuestro es más complejo, las cosas como son. Ahora acaba de romper conmigo, pues según ella soy nada menos que calenturiento, homofóbico y machista ¿qué le parece? Calenturiento sí y ni quién me lo quite porque estoy bien orgulloso de no ser impotente. Homofóbico es la palabrita de moda porque no soporto a los maricones que tiene ella por amigos, me pongo muy nervioso al tenerlos cerca. Y machista, pues no creo que sea un defecto, peor estaría ser feminista, digo yo. Ya sé que usted es de las que les pega duro a los hombres con estos asuntos, pero me parece que las cosas en estos tiempos se están saliendo de control con tanta igualdad, y de seguir así no vamos a saber quién es Juan y quién es Juana. ¿No será mejor cada uno en su papel y todos felices como lo éramos hasta ahora sin tanto pancho?

La doctora responde...

Pobrecito Arnoldo. Fuiste educado para un mundo que ya no existe, como les pasa en este momento a muchos machos. Las cosas mutaron velozmente, más rápido que nunca, y te agarró dormido el proceso sin avisarte. Las mujeres han cambiado, y con ello el mundo entero.

Como hombre te quedan dos opciones "o te aclimatas o te aclimueres". Pero no te sientas agredido, simplemente bájale un poco a la prepotencia que te asiste y razonemos, te prometo que el resultado es positivo para ti y no al contrario. El machismo fue una estructura útil en el pasado de hombres cazadores y mujeres paridoras permanentemente, pero no ahora, y aun así siempre fue injusto, mejor no lo defiendas. Por supuesto que un hombre y una mujer son distintos, sin duda. Pero son distintos biológicamente, y sin embargo ambos son igualmente seres humanos y por ello tienen los mismos derechos socialmente, no hay que confundir las cosas. Todo aquello que se realice con los ovarios, la vulva, la matriz, las trompas o las mamas, desde luego, será tarea femenina, y que yo sepa nadie te está pidiendo que te embaraces, que menstrúes ni que amamantes a un chiquillo. Paralelamente, todo aquello que se haga con el pene o los testículos será tarea masculina, ni modo que se lo vayamos a exigir a las mujeres. Pero todo lo demás, lo que se haga con el cerebro, con la inteligencia o la voluntad, con el pensamiento, con las manos, las piernas, con la opinión, los sentimientos, con el carácter o la personalidad, todo ello lo pueden hacer ambos, de la manera que cada uno personalmente elija como parte de sus derechos humanos, no de los derechos del pene que ésos —que yo sepa— no aparecen en ninguna Carta Magna de cultura antigua, salvo en los fanáticos religiosos que se inventan este tipo de discriminaciones como divinas. Una mujer actual no necesita una bestia protectora que le traiga comida, porque igual prefiere gestionarla ella misma, a fin de cuentas de seguro le saldrá más barato. Una mujer estudia o trabaja no sólo por pobreza sino por realizarse como persona, para ser independiente y no pagar con la carne los favores del alimento, para no ser esclava de quien la mantiene, o estudia porque quiere saber más allá de lo que dicta tu hermoso cerebro de chango evolucionado. Una mujer tiene perfecto derecho al placer sexual y el erotismo es cosa de dos, y si no cuentas con ella pues entonces mejor te frotas con una muñeca inflable que no protesta ni reclama, no necesitas para eso malgastar un ser humano para "chaquetear" con cuerpo ajeno. Una mujer no tiene por qué "obedecerte" como dices, porque no es una esclava que compraste en un mercado, ni un objeto que no opina, ni un ciudadano de segunda categoría; podrás llegar con ella a acuerdos, pero no darle órdenes porque no es una niña menor de edad ni una retrasada mental bajo tu custodia. Si me dices que cuando ella se pone minifalda tú haces el ridículo, entonces es que el complejo lo llevas dentro, y eso no se cura interviniendo sobre la otra persona sino sobre uno mismo: de otra manera tú podrías estar orgulloso de que ella vaya muy atractiva y todos te envidien por ser su hombre en lugar de compadecerte, ¿o no? Si nos ponemos así, también se podría decir que ella sí que hace el ridículo al tener un novio con tus ideas, o con tu panza, o con tu corbata, ¿verdad que no sería justo?

No te preocupes, que la igualdad de derechos no va a hacer que nos confundamos no sabiendo quién es hombre o mujer, ¿o también te sueles confundir en esto? Examínalo y tal vez aclares muchos de tus temores homofóbicos. La igualdad de derechos es un estado saludable y justo, también para ti, porque en vez de una esclava, obtendrás una compañera que será tu perfecta aliada en todo momento y que ni siquiera te exigirá tanto como te estás exigiendo tú mismo jugando al macho redentor. Podrás ser más humano, también débil a veces ¡cómo no! Y ella tendrá su lugar como persona, con lo cual te dignificas al dárselo en vez del rol esclavista de impedirlo. Sólo el débil es tirano.

Prueba un cambio, te va a gustar de veras. ¡Ah! y por cierto, hasta ahora no éramos todos felices cada uno en su papel, porque ni era tu papel la prepotencia ni el de la mujer la obediencia, de hecho nos iba como en feria y la historia es un fracaso de parejas y familias. Al intentar variar los roles sólo nos puede ir mejor, peor es imposible, sé sincero y mira a tu alrededor.

> *Las mujeres han cambiado,*
> *y con ello el mundo entero.*

VESTIRME DE MUJER

Josué, 35 años, empresario,
Monterrey, Nuevo León

Resulta que como a los 8 años de edad me puse un vestido de mi madre, unas zapatillas, y etcétera, etcétera. Desde entonces he experimentado situaciones como el salir vestida de noche a bailar a algún antro que me permita desenvolverme como una dama. Si pudiera dar una cifra de estos eventos diría que han ocurrido como 10 al año. También me he inyectado estrógenos como en unas tres ocasiones, y a veces experimento deseos de sentirme una mujer, plena y desarrollada. Pero el problema es que soy un empresario de regular éxito que pertenece a una familia funcional porque mis padres tienen más de 35 años de casados y se siguen amando. Yo vivo solo y tengo una novia con quien experimento mi sexualidad como hombre, me hace feliz, me quiere demasiado y yo por ningún motivo quisiera hacerle daño. Por todo lo mencionado sé que necesito su ayuda doctora.

La doctora responde...

Lo que ocurre podría ser confundido con homosexualidad aparente y simple, pero no es así. Para empezar se trata de travestismo, es decir, de la pasión por vestirse con ropas del otro sexo. Pero dentro de este travestismo hay una variante en la que encaja tu historia, que es el travestismo heterosexual. Es decir, que el fetiche de la ropa te permite otra personalidad de sexo femenino que forma parte de ti y de tu historia, de la misma manera —salvando las distancias— que un esquizofrénico puede albergar varias personalidades dentro de sí. Pero tranquilo, no es por sí mismo una enfermedad mental sino sólo una fijación obsesiva grabada desde la más blanda sesera de la infancia. Habría que saber aquí datos que no me cuentas en tu carta: cuántos hermanos o hermanas eran, qué lugar ocupabas entre ellos, qué suponía para tu familia que fueras varón (encanto o decepción), qué suponía para ti ser mujer en aquel entonces "inocente", cuál era la fascinación por habitar un mundo de damas, qué recibías entonces de este dato, en qué te compensaba, por qué te seducía. Si lo piensas, esta tendencia no es genital exactamente porque tú mismo me relatas que surgió mucho antes de tener un ejercicio sexual activo, que nació como un sueño de habitar otro personaje que, por lo que estabas viviendo, prometía más elementos compensadores para tu autoestima que ser un varón. Éste es el terreno a explorar para saber dónde nacieron estas fijaciones que han quedado pegadas a ti como parte importante de tu desarrollo. En este sentido creo que el apoyo del psicoanálisis puede ser definitivo en tu historia, para entenderte, para seguir creciendo sin contradicciones y amarte tal y como eres. Sin embargo esta tendencia no implica que todo el rato te sientas mujer ni que no puedas ejercer tu virilidad con tu novia. Es decir, que en este caso, la fantasía del fetiche femenino es más importante y preponderante aún que la propia inclinación sexual. El caso no es tan raro, porque te digo desde ahora mismo que existe un grupo llamado Crisálida que precisamente apoya a los travestis heterosexuales. No todos los casos son iguales, aquí hay padres de familia ejemplares que gozan con el simple disfraz y otros que de plano ejercen una doble personalidad con todas sus consecuencias, pero lo que te aseguro es que todos ellos comparten esta situación poco habitual para quien no conoce los laberintos y la diversidad de la sexualidad humana. Me preocupa tu caso, más que la apariencia y las escapadas, el hecho de que hayas tomado hormonas femeninas en varias ocasiones (estrógenos); esto va más allá del juego de las apariencias y puede dar al traste con tu virilidad de modo que la relación con tu novia cese por sí misma sin quererlo y acaben ustedes —con suerte— convertidos en dos buenas amigas. El tránsito del travestismo al transexualismo (cambiar de sexo) es mas serio de lo que parece e implica una identidad total y toda una vida, no pasiones momentáneas. Creo que merece la pena poner atención a ello y calmar la angustia que te avienta hacia este impulso, para ubicarlo en su justa medida, antes de que sea demasiado tarde. Por lo demás, que tu familia sea unida "no le hace", ése es tu origen o tu pasado, no el presente que debemos atender, ni un futuro que debes de diseñar de la mejor manera.

> *... cambiar de sexo es más serio de lo que parece e implica una identidad total y toda una vida, no pasiones momentáneas.*

VOLVER A SER VIRGEN

Amelia, 18 años, estudiante,
Morelia, Michoacán

Doctora, yo ya no soy virgen y eso me preocupa. He oído que se puede reconstruir la virginidad, ¿es verdad que existe una operación para esto? Me interesa porque ya rompí con mi novio (el que me estrenó), y no quisiera que el hombre con el que me case me venga a reprochar esto algún día. Yo quisiera volver a estar como estaba. Oriénteme por favor.

La doctora responde...

Amelia, el ser humano nunca vuelve a estar como estaba, afortunadamente, porque de otro modo nos quedaríamos infantiles, congelados, lelos y sin evolución toda nuestra vida. Desde luego que existe una estúpida intervención quirúrgica para reconstruir esa membrana en la vagina que tú llamas "virginidad". Pero, ¿sabes lo que yo operaría?: yo llevaría al quirófano nuestro absurdo prejuicio como sociedad exigiendo sellos de garantía para las mujeres. Yo cortaría con el bisturí del razonamiento el prejuicio, en lugar de invertir en operaciones de enmascaramiento para seguir perpetuando las mentiras, para maquillar las exigencias esclavizantes que condenan a una mujer como si estuviera usada. Eres muy joven amiga, y nos queda mucho tiempo para aclarar las ideas en vez de las cirugías. Te pido que te mantengas cerca de nosotros, en la radio, en nuestros libros, en nuestras pláticas; en todo ello encontrarás información para mejorar el criterio respecto a ti misma. Tal vez así te ahorres un montón de dinero y de mentiras. A ti no te falta nada, le falta a la sociedad ser más honesta.

Si resulta que "tener experiencia" es bueno para conseguir trabajo; si también tener experiencia sexual es bueno para un hombre, entonces ¿por qué para ti va a ser un defecto? Mejor quedamos de acuerdo y adquirimos los valores parejitos para ambos sexos.

> *Yo cortaría con el bisturí del razonamiento el prejuicio, en lugar de invertir en operaciones de enmascaramiento para seguir perpetuando las mentiras...*

YO QUIERO SER LA OTRA

Martha Patricia, 29 años, ama de casa,
Distrito Federal

Quisiera saber cómo ser mejor en la cama, cómo hacer mejores caricias a mi esposo. Por desgracia, mi educación fue tan tradicional que olvidaron educarme para esto.

Mucho sobre partos y menstruaciones, mucho sobre moral y límites. Me siento engañada, todo el empeño de mi mamá fue que me casara, y me casé, pero también me cansé, o se cansó mi marido que es lo mismo. Sé que anda por ahí porque se aburre conmigo. Lo hemos platicado. Él me echa la culpa y me invita a practicar otras cosas entre nosotros, pero a mí me da miedo. Ni siquiera el sexo oral me atrevo a hacerlo con confianza porque creo que lo hago mal. Doctora, écheme la mano por favor. Yo quiero que nuestra pareja progrese, y no acabar convertida en una "santa" de mi esposo; lo amo y él también a mí, de eso estoy segura. Yo quiero ser todo para él, ¿estaré mal? Mis amigas dicen que es inútil, que para ellos hay dos clases de mujeres y que no puedo pretender todo en la vida.

La doctora responde...

Claro que no estás mal, Martha Patricia, en tu intento. Al contrario, mal está que nos estafen culturalmente preparando a las mujeres para ser adornos, jarrones floridos, carpetas en la sala y cobijas en la cama, o estatuas sin altar a fin de cuentas. Efectivamente, suelen decir que hay dos clases de mujeres: las de casar y las de disfrutar (por decirlo finamente), y sin duda es una buena teoría a la mano para justificar la infidelidad o la bigamia del varón que necesita mínimo dos porque con una no la hace completa. Pero si una pareja se une pretendiendo serlo todo el uno para el otro, resulta traidor ocupar tan sólo la mitad del panorama. ¿No será mejor disfrutar con la persona que amas y casarte con la persona con la que disfrutas? También a este respecto dice el refrán que la mujer perfecta es la que resulta para su marido una dama en sociedad y una desvergonzada en la cama. Yo más bien creo que, en vez de dos tipos de mujer, hay dos tipos de personas: las felices y los desgraciados. Por eso aplaudo que quieras ser de los primeros. Algunos de mis libros te pueden ayudar sobremanera para entender los cuerpos, pero además te recomiendo conocer algunos manuales y videos de pareja de autores diversos; unos serán para ti sola en cuanto a tu sentir femenino, y otros desde luego para verlos en pareja. Son educativos, claros y directos.

Pero, más allá de todo eso, platica con tu esposo, háblale de tus inhibiciones y miedos, de que tenga paciencia y te ayude a descubrir tu propio cuerpo y el suyo, de que te platique sus fantasías, suavemente, poco a poco, con inocencia, descubriendo los rincones —¡todos!— y sus respuestas. Sin miedo, porque no estás en brazos de un desconocido, sino, como tú bien aseguras, te ama y lo amas, ¿qué mejor compañía para aprender el arte erótico?

> *...mal está que nos estafen*
> *culturalmente preparando a las mujeres*
> *para ser adornos, jarrones floridos,*
> *carpetas en la sala y cobijas en la*
> *cama...*

CASOS DE AMOR

ES DURO SER HOMBRE

Luis Miguel, 31 años, ingeniero en sistemas,
Distrito Federal

Doctora, ayúdeme a entender a las mujeres, por favor. No me ubico en este mundo, a veces siento que soy extraterrestre. Déjeme le cuento. Yo comprendo que vivimos en una sociedad de herencia machista y que se han cometido muchas injusticias con las mujeres, soy perfectamente consciente de ello. Por eso he tratado en todo momento de ser distinto, igualitario, considerado, respetuoso y buen compañero. Pero no sirve, nada sirve con ellas. No hablo de una ni de dos, sino que ya van varias experiencias amorosas desastrosas, en la vida, en la calle, en lo social y en la cama. Mi primera novia se ponía minifaldas y escotes tan exagerados que salir a la calle con ella era una bronca permanente, y tuve que partirme la ma... muchas veces poniendo en peligro mi propia vida. A ella, al parecer eso le resultaba natural e incluso lo disfrutaba, provocando a propósito a todo el que pasaba para que yo saliera en su defensa cuando le faltaban al respeto. Nunca le prohibí, ni cosa semejante, su atuendo, pero si le pedí un poco de sensatez en ambientes determinados, en lugares rudos, para no acabar muerto y ella violada por cualquier desaprensivo. Me abandonó por "poco hombre" según ella, por mandilón y cobarde. En mi siguiente experiencia amorosa se suponía que lo compartíamos todo, planeamos casarnos, ¡estúpido de mí! Mi sueldo no alcanzaba para cubrir salidas, entradas, comidas y caprichos sin fin, mientras que la chava ahorraba su dinero porque "era de ella". Después de arruinarme en un despilfarro sin límites, me abandonó por no ser rico. A la tercera dicen que va la vencida. Esta vez se trataba de una mujer algo más grande que yo, preciosa, divina. Pues bien, acaba de botarme porque dice que a veces (pocas, se lo juro) eyaculo demasiado rápido y que ella no está dispuesta a entrenar "quintitos" que a veces no le dan orgasmos. Me siento un tonto, un inútil, y sobre todo equivocado. Yo sé, doctora, que usted es feminista de hueso colorado y que me expongo a que les dé la razón a ellas, pero aun así corro el riesgo porque le tengo confianza y le pido un buen consejo que me levante la autoestima, ¿o me hubiera ido mejor siendo un macho déspota?

La doctora responde...

No te agobies, Luis Miguel, que no te voy a atacar en esta ocasión, te lo aseguro. Por desgracia a veces hay machismos en el feminismo en nuestro medio, hembrismos mal entendidos, y al parecer te han tocado uno detrás de otro. Las mujeres que han crecido en el machismo se protegieron con sucesivas mañas para sobrevivir sin derechos. Por ejemplo, su "guardadito" económico tenía por misión ponerse a salvo de un hombre que tarde o temprano —garantizado— la iba a abandonar por otra más joven dejándola sin sustento y desentendiéndose de los hijos, además de que jamás le permitió estudiar para capacitarse ni mucho menos trabajar porque ofendía su hombría. Como verás era lógico que ella actuara a la defensiva, pero no se vale con un hombre dispuesto a ser compañero, porque entonces la injusticia es al revés y no hay felicidad posible en la pareja. Por otra parte, el macho animal de muchas especies pelea todo el tiempo con otros para llevarse a la hembra de la manada, y así te lo exigía la primera chava, como si fueras chango en celo ocupando la jerarquía y el territorio en lugar de considerarte un humano pensante, un ser racional con otros códigos de convivencia. No se vale, de veras. En cuanto a la tercera experiencia, al parecer te tocó la mujer que reivindicaba siglos de frigidez de todas las mujeres del mundo que aguantaron un egoísta fornicador en silencio. En vez de amar, de compartir y de crecer en el erotismo juntos, te exigió como sexo servidor a domicilio que le cumplieras su ritmo. Eso no es amor, querido, no has perdido nada en ningún caso. No quiero que cambies, no estás equivocado sino que representas el nuevo hombre mexicano, el mejor de todos los que la historia ha conocido. Pero por desgracia, el mundo entero no cambia de un día para otro y, aunque tú lo hayas hecho, encontrarás aún muchas mujeres enojadas, egoístas por miedo, sangronas para defenderse de un enemigo que no eres tú en este caso. Dice el escritor Antonio Gala que el drama del presente es que: "los hombres buscan una mujer que ya no existe, y las mujeres buscan un hombre que todavía no existe". Tú eres la excepción a esta regla: buscas a la nueva mujer y tú ya existes como nuevo hombre. No dimitas ni te des por vencido. Tu error no es pensar así, sino más bien metes la pata al elegir pareja y te asocias demasiado rápido con personas que no son las adecuadas. La relación igualitaria y solidaria es la mejor de todas. Encontrarás la pareja que mereces, existe, y esa vez sólo tendrás que escribirme para invitarme a la boda.

> *Dice el escritor Antonio Gala que el drama del presente es que: "los hombres buscan una mujer que ya no existe, y las mujeres buscan un hombre que todavía no existe".*

INOCENCIA Y BODA

Deyanira, 21 años, universitaria,
Puebla, Puebla

Yo tuve la oportunidad de verla por primera vez en un programa de televisión y bueno, déjeme decirle que siempre usted hace sentir a los espectadores con confianza a preguntar, al menos en mi caso y en el de algunas amigas. Sabe doctora, en el próximo diciembre, si Dios lo permite, me casaré.

Mi prometido es un persona muy inteligente, él está por terminar su maestría. Yo en tanto, antes de mi enlace estaré terminando mi licenciatura. Pero yo provengo de una familia donde los temas de sexo, relaciones y cosas así están poco menos que vetados. Mi novio y yo nunca hemos tenido relaciones sexuales, sin embargo hemos platicado mucho de esto, de los métodos, de nuestro cuerpo y cosas así. Cabe mencionar que él es muy asiduo a la revista *DesnuDarse,* yo en una ocasión tuve la oportunidad de leerla y realmente me gustó. La semana pasada, él me dijo que me enviaría un buen número de ejemplares que posee ya que la tiene como colección, pero me negué ya que si me descubrían en mi casa no me iría muy bien.

Doctora, tengo 21 años y realmente en ocasiones me siento mal porque no sé tanto de cosas íntimas con mi novio, de hecho hay ciertas partes del cuerpo que yo no conocía, y ahora que nos vamos a casar ambos tenemos muchas ilusiones con respecto a nuestra noche de bodas. Bueno, esa noche no me preocupa porque habremos de aprender juntos. Lo que deseo preguntarle es qué hacer en las demás noches, ¿cómo puedo hacerle para que mi entonces esposo esté siempre contento y satisfecho cuando tengamos relaciones? Por favor ayúdeme. Gracias de antemano.

La doctora responde...

Es evidente que tu familia es conservadora y a la antigüita, y de hecho tú eres de las pocas muchachas que hoy en día esperan hasta el matrimonio para tener relaciones sexuales sin probarlas antes. Respecto a esto, no tengo nada que objetar, es correcto que cada uno decida como quiere, conforme a sus criterios. Pero con lo que no estoy de acuerdo es que una muchacha mayor de edad, a punto de recibirse y en vísperas de boda, se sienta presionada y temerosa de obtener información valiosa para su vida. La revista *DesnuDarse* no es una publicación pornográfica ni morbosa, no sirve para masturbarse porque los mensajes van al cerebro y no a la entrepierna, se trata de cultura sexual en el más noble y sano sentido de la expresión, y de hecho es una publicación de carácter familiar que puede estar sin vergüenza alguna en la sala de cualquier casa decente. No es que quiera hacer publicidad, lo que pretendo es que tú comprendas el sentido de las cosas para que las puedas manejar con sensatez y sin miedos gratuitos. Comprendo que tus padres puedan ser muy tapados para estos temas, pero creo que tu momento vital amerita decidir cosas desde ti misma ya para tu nueva vida y no seguirte comportando como hijita indefensa y menor de edad, eso es parte de ser mujer, lo que tú eres y parece que no acabas de asumir por completo. Conste que te regaño con cariño para sacudirte la conciencia y que te movilices al respecto. No es adecuado tu miedo a que vean las revistas en la casa, y solucionarlo es tarea tuya, no de ellos. Tienes perfecto derecho —y obligación incluso— de estar informada de cara a tu nueva vida, no sólo de cortinas, alfombras y recetas de cocina, sino de la parte más íntima y sagrada de la pareja. Si llega a tu casa un sobre a tu nombre debes hacer saber a tu familia que, sea lo que sea, no pueden abrirlo para empezar, que la correspondencia es algo privado y un delito violarla, aunque sean tus padres (y esto es legal, no sólo moral). Pero además tus pertenencias, tus cajones, tu recámara o tu espacio privado es lo mismo, personal, no público, de manera que no tendrían por qué hurgar en ello. Si lo hacen puedes enojarte con todo derecho y exigir respeto, en lugar de temblar como niña asustada por si no les gusta lo que encontraron husmeando donde no debían. No sólo eso. Te diré que a veces pensamos que los padres son unos monstruos y te aseguro que la experiencia me demuestra que no es tal. No me extrañaría que esas lecturas hasta las pudieras compartir luego con tu mamá en un momento dado, y tal vez te hable entonces la mujer —no sólo la madre— que hasta ahora tuvo pena de hacerlo. No solamente puedes educarte, sino educarlos, adaptarlos a este mundo que cambia velozmente sin contar con ellos. La ignorancia no es algo a defender, al contrario, hay que luchar contra ella porque sólo desastres vienen de su mano. Por lo demás, lo que te preocupa de las noches sucesivas con tu esposo, no se trata de una tabla de gimnasia ni de maniobras mágicas o truculentas para convertirte en una *geisha*. Se trata de conocer los cuerpos, los mecanismos, y dejarse navegar felizmente por el sentimiento amoroso sin límites entre dos personas que, como ustedes, se aman. Lee, pregunta, consulta, explora tu propio cuerpo de la cabeza a los pies sin miedo y tocándolo todo, probándolo incluso para conocer su sabor, el tuyo y también el de tu amado. No se trata de que busques cómo hacerlo feliz siendo sumisa, sino de que sean felices ambos y de que no asumas un rol pasivo frente a la tarea de conformarte como mujer, es una responsabilidad que debes de incorporar sin pena, al contrario, es para estar orgullosa de ello. Les deseo lo mejor, tienen derecho.

> *Se trata de conocer los cuerpos, los mecanismos, y dejarse navegar felizmente por el sentimiento amoroso sin límites...*

LESBIANA PERSEGUIDA

Estela, 29 años, ama de casa,
Tampico, Tamaulipas

Yo, doctora, no sabría decirle cuándo empezó todo este martirio. En verdad nunca me atrajeron los chavos, como les ocurría a todas mis compañeras de la escuela. Pero tampoco pensé en ninguna otra posibilidad porque no cabía en mi mundo, simple, sencillo, convencional, tradicional, y según ellos tan lleno de valores. Me casé a los 16 años con un hombre que les parecía bien a mis padres; yo ni me lo pregunté siquiera. Sabía que mi vida de mujer consistía en ser esposa y madre, ninguna otra alternativa posible. Fui una niña bien portada, una joven bien portada, y una esposa bien portada hasta hace poco tiempo. Quiero decir que cumplí con todo lo que se esperaba de mí, sin atreverme a preguntarme jamás, quién era yo realmente o la posibilidad de ser cualquier otra cosa.

Tuve dos hijos en mi matrimonio, un niño y una niña a los que adoré y adoro. Sin embargo el sexo con mi esposo siempre me pareció más sacrificio que placer, desde el primer día, desde la noche de bodas.

Mi madre me explicó que así es la vida de las mujeres, que el precio de ser mantenida y de que carguen con nosotras es soportar el sexo de ellos, servirles, ser útil, porque eso es ser mujer, porque así es nuestra vida femenina y no hay otra cosa. Yo, doctora, traté de ser buena hija y buena esposa, de hecho soy buena madre. Nunca me pregunté si existía algo más, por tanto, aunque no era feliz tampoco echaba en falta otra forma de existencia a la que nunca aspiré. Hasta aquí bien, pero no me explico qué pasó de un día para otro. Una amiga de mi cuñada tenía que estudiar en Tampico y nos pidieron de favor recibirla en la casa hasta que encontrara dónde vivir. Como buena gente que somos le ofrecí nuestro techo sin mayor pretensión, ¡se lo juro! Así empezaron a transcurrir los días, las horas en que mi marido estaba ausente y tras dormirse los niños ella era mi única compañía. Platicábamos de nuestras cosas como yo nunca lo había hecho, reíamos, confesábamos, compartíamos, soñábamos. En una noche de ésas, la complicidad fue tal que se rozaron nuestras bocas y perdóneme, doctora, el atrevimiento, jamás en mi vida había soñado tener un beso como ése.

Todo mi ser se arrebató con ella, no por calentura —y le pido que me crea— sino que mi alma jalaba de mi cuerpo como si los dos fueran uno. En ese instante yo sólo quería huir con ella, fundirme con ella, serlo todo con ella. Desde ese momento, nada en el mundo pudo evitar que nos convirtiéramos en amantes. Ahora llevo una doble vida. En las mañanas no está y muero por verla. En las tardes es el cielo, el amor con ella, la verdadera vida. En las noches llega mi esposo y disimulo, lloro en silencio, soy forzada por él a veces entre lágrimas que nadie ve. Y así día tras día. Ella adora a mis hijos, es tan madre como yo o mejor aún.

Y yo, doctora, sólo pienso en huir con ella y vivir una verdadera vida que jamás imaginé como mía. Pero me siento culpable, avergonzada, indecente, monstruosa. Mi marido es un hombre bueno, aunque no descarto que sería capaz de matarme si se entera.

Aunque no fuera así, ¿qué derecho tengo a destruir su vida? Por favor, ayúdeme, no puedo más. La felicidad parcial de la que disfruto es ya una agonía en vida. Hasta he pensado en matarme para acabar con este dolor al que no le veo salida. Ayúdeme por favor, dígame algo, lo que sea, aunque me insulte estoy dispuesta.

La doctora responde...

Amiga, somos seres humanos, independientemente de que lo que sentimos guste o no guste a la mayoría legitimada. Somos, sea o no conveniente para el resto. Tú, mujer, no eres sólo un producto creado por tus padres para ser buena hija y darles gusto. Tampoco eres una muñeca hembra que alguien diseñó sólo para ser esposa, cumplir con la reproducción, etcétera. Ante todo y sobre todo eres un ser humano con plenos derechos. Las mujeres lesbianas, que aman a otras mujeres, no son un proyecto fracasado de la naturaleza sino parte de la

propia diversidad humana. Si algunos se niegan
tonces tienen un problema de incultura y neced
Las personas diversas sexualmente (gays, lesbiana
tera) son aproximadamente el 10 o 15% de la po

Ser lesbiana no es un capricho ni una perversión, pues nadie
escoge ser esto o lo otro; es una tendencia tan humana y natural
como el resto, una vocación y atracción que va contigo sin que nadie
te deba cuestionar. Ahora bien, es cierto que debemos evitar dañar a los otros, pero tampoco puedes dañarte a ti misma en contra
de tu propia esencia. La opción no es exactamente delinquir, huir,
avergonzarse o eximir responsabilidades. Por el contario, uno puede
tratar de entender —ante todo y sobre todo— quién es uno mismo, y
después compartirlo con otro. Si tú llegas a este nivel de comprensión,
lo ideal es que platiques con tu esposo y le expliques que no lo estás
traicionando sino que te equivocaste, que tú fuiste más víctima que él
en este error craso, que confesarlo es nobleza y no agresión, que vivir
equivocados no tiene sentido, ni para ti ni para él, ni tampoco para
los niños. Habla con él desde la complicidad de lo humano, no desde
el enfrentamiento que los arroje a un foso sin salida. Y luego vive tu
vida, que sólo hay una, y trata siempre de ser honesta y buena persona, sin disculpas, pero tampoco sin apariencias porque eso al final es
un cinismo que te daña y acaba dañando inevitablemente a quienes
te rodean. Dice el viejo refrán: "más vale ponerse una vez colorada
que cientos amarilla".

> *Las mujeres lesbianas, que aman a*
> *otras mujeres, no son un proyecto*
> *fracasado de la naturaleza...*

PARA LOS GAY SOY POCO

Jonathan, 32 años, abogado,
Monterrey, Nuevo León

Soy homosexual, pero ese no es el problema, ya que superé mi aceptación hace tiempo y salí del clóset. En cambio ahora surgen nuevos conflictos que no sé cómo resolver. Y también me pregunto si los hombres que se relacionan con las mujeres tendrán este mismo problema. Tengo muchos años ya circulando en el ambiente gay. Me siento harto, cansado, exhausto de tanta superficialidad, de tanta piel y sexo como si no hubiera más en la vida. Veo que los heterosexuales encuentran con facilidad una persona con la que inventar un futuro, que fundan una casa, una familia, y que son fieles. En cambio yo vivo en un ambiente de fracaso y de topar con pared eternamente. ¿Eso es lo gay, doctora? Yo ya no quiero frotar mi cuerpo con el primero que pase porque un orgasmo tampoco es para tanto. Para mi desgracia, soy atractivo, no es la queja de Cuasimodo. Quiero una relación afectiva, alguien que me vea por debajo de mi piel y que me jure, como en las bodas, que estará conmigo en la alegría y en la tristeza, en la pobreza y en la riqueza, en la salud y en la enfermedad. ¿Es mucho pedir, doctora, como ser humano? ¿No existe eso para los gay?

La doctora responde...

Amigo, no te equivoques con la orientación sexual. Es más, olvídala por un momento en este caso. El humano, como tú lo eres, encuentra lo que busca y no otra cosa. Tampoco te engañes con las mayorías sexuales como un patrón de felicidad o éxito por sí mismo. En general, en número masivo no es cierto. Los hombres se casan —eso sí— rápidamente con mujeres "guapas" sin ni siquiera ahondar en conocer su alma, tan solo sus senos, caderas y pompas. Las mujeres por desgracia hacen muchas veces lo mismo, bueno, no lo mismo pero sí equivalente: se casan con hombres ricos sin haber llegado a saber qué hay bajo la piel de esa chequera o de las llaves del carro. Los matrimonios que ves alrededor no siempre son felices, lo lamento pero pocas veces lo son, no es automático, hay que ganárselo con intención humana como la que tú tienes. No depende del género ni de la preferencia sexual sino de limar la estupidez de los pactos fatuos que se forman entre nosotros para parecer y no ser cualquier cosa. A las estadísticas me remito: divorcios en una cifra escalofriante en el primer año de matrimonio, lo cual demuestra que no se conocían en absoluto y "se les vio el cobre" o se asustaron al estar íntimamente juntos. ¡Te da envidia ese destino? Abandono familiar: uno de cada cuatro hogares mexicanos está regido por cabeza femenina, y no son viudas, son madres solteras de padres ausentes que se desentienden, engañadas, abandonadas, cornudas, cambiadas por la casa chica que a su vez acaba siendo reemplazada por otra en cuanto le hace hijos y parece ser esposa que obliga. ¿Eso envidias?, yo creo que no. Entonces seamos sensatos. Si tú buscas sexo en el "ambiente" encontrarás sexo. Pero no te limites. También hay círculos gay en los que se comparte mucho más allá de la piel, y eso es lo importante para buscar amor. Lo que todos los humanos buscamos desde cualquier ángulo y sin diferencias para no sentirnos solos. Pero la tarea es tuya, no te quemes, no te malgastes en antros de "rapiditos" si quieres algo más. Hay millones de personas como tú buscando lo mismo, no estás solo.

> *El humano, como tú lo eres, encuentra*
> *lo que busca y no otra cosa.*

QUIERO CAMBIAR A UN GAY

Ana Cecilia, 26 años,
Querétaro, Querétaro

Tengo como unos tres años trabajando estrechamente con un muchacho de mi edad que es gay. Al principio la relación fue sólo de trabajo, pero, usted sabe, en este oficio a veces no hay horario ni fecha en el calendario y más de una vez nos amanecía juntos en mi casa preparando un nuevo proyecto o rematando otro anterior porque era "para ayer". En esas largas horas de compartir descubrimos una extraordinaria amistad y nos convertimos en grandes confidentes. Él me contó de su pasión por los hombres, de sus decepciones del mundo gay y de la imposibilidad de encontrar una pareja estable que no juegue con sus sentimientos. Yo, por mi parte, le compartí también mi decepción de los hombres, de los novios espantosos que había tenido, de las malas experiencias, y de lo harta que estaba de los machos que no toleran una mujer independiente como yo y sólo buscan esclavas o sirvientas, que sólo tienen interés en el acoso sexual y no puedes desarrollar con ellos ninguna relación a nivel más profundo. En fin, para no hacer el cuento largo: me he enamorado de él, creo que es el hombre de mi vida —por raro que parezca—, y él dice que yo lo comprendo mejor que nadie en este mundo. Doctora ¿será posible que yo pueda cambiarlo y ser totalmente su pareja? ¿Lograré que se olvide de los hombres y se vuelva heterosexual? ¿Podré con lo humano vencer a la tendencia sexual? Le suplico me ayude a aclarar estas dudas porque todas mis esperanzas están puestas en esta relación, lo amo, y creo que él también a mí.

La doctora responde...

No es extraño, querida Ana Cecilia, que te encuentres a gusto con un hombre gay. En un medio machista como el nuestro, hallar un hombre sensible y no prepotente es ya un premio. Pero ¡ojo! No te confundas, es un premio cultural pero no biológico. Es decir, la relación de amigos, confidentes y compañeros puede ser la mejor del mundo; pero, por el contrario, te lo digo claramente: déjate de sueños guajiros. La orientación sexual de una persona no se cambia, de ninguna manera. Ni con terapias, ni con apapachos, ni con cariño ni con castigos o promesas —como pretenden otros—. La orientación sexual de una persona, la atracción que siente por uno u otro sexo no es un capricho voluntario ni producto de una decepción; no es algo que se elige sino que viene con nosotros y nos acompaña de por vida. La única excepción que podríamos hacer aquí son las homosexualidades pasajeras, que son aquellas que ocurren en los presos, por ejemplo, situaciones en las que un hombre heterosexual puede sostener en prisión relaciones sexuales y afectivas de tipo homosexual al hallarse en ese medio, pero una vez fuera es totalmente reversible y vuelve a relacionarse con las mujeres como lo hacía previamente al encierro. Pero éste creo que no es el caso de tu amigo ¿verdad? Por ello no te empeñes, no te hagas daño ni se lo hagas a él pretendiendo imposibles que irían en contra de su propia naturaleza. De alguna manera sería equivalente a si te enamoras de un negro, lo adoras, pero no quieres que sea negro ¿lo vas a blanquear? Si te obsesionas con ello acabarás convirtiéndote en la acosadora sexual, eso mismo que odiabas en tus parejas anteriores ¿verdad que es molesto y genera rechazo en él?; tú lo sabes mejor que nadie, aplícate el cuento. Ahora bien, ello no impide que puedan formar incluso una pareja especial, no tradicional, tal vez para ustedes la mejor del mundo porque se complementan y eso es lo más difícil de lograr entre dos seres humanos. Quizá, incluso puedan llegar a tener relaciones sexuales juntos de cuando en cuando de manera satisfactoria (porque de que podemos, todos podemos todo), pero… su instinto básico siempre será encaminado hacia los hombres. Sabiendo esto, decidan ustedes lo mejor para ambos, de manera honesta y sincera haciendo honor a esa amistad que los une, hablando de frente con la verdad, sin autoengaños ni infantilismos, sin consuelos gratuitos efímeros, sin "meterse en camisa de once varas", aprovechando lo bueno de la relación y sin querer convertirse en dioses que permuten la naturaleza humana, la naturaleza homosexual de él, tan natural como la tuya al sentirse atraído por los hombres.

> *La orientación sexual de una persona... no es algo que se elige sino que viene con nosotros y nos acompaña de por vida.*

CASOS DEL ALMA

ACONSEJAN QUE MEJOR DISIMULE

Horacio, 31 años, médico,
Durango, Durango

Doctora, llevo media vida disimulando lo que en verdad siento. Yo soy homosexual (gay dicen ahora, me da igual), y esto lo sé desde chiquito. Ya en la escuela, nunca me identifiqué con ese mundo bravo de los varones, yo sentía otra cosa, incluso a la hora del recreo. Con sangre, sudor y lágrimas mantuve el tipo, me salvaron las buenas calificaciones que a todos tenían orgullosos, y así me gané el favor de maestras y familia sin mayores escándalos. Pero nadie sabe el calvario por el que atravesé todos esos años. Luego, al despertar sexualmente, jamás pensé como mis compañeros, con deseos de una mujer, sino en ellos, mis compañeros hombres, y yo sentía que esto era raro, mal visto, que no se lo podía decir a nadie.

También fui discreto porque era un niño bien portado y lloraba mis pasiones en silencio. Tuve que aparentar ser galán con las amigas de mis hermanas, primas, invitadas, novias obligadas con las que evitaba el beso con difíciles maniobras. Y la verdad, pasé desapercibido como un muchacho respetuoso que no abusaba de la ocasión, de los que ya no quedaban, educado a la antigüita y según ellas con grandes valores. ¡Ay si supieran qué valores! Pero, doctora, no puedo más, reviento por dentro. Mi familia es tradicional y se moriría si comento esto. De modo que recurrí a un tío mío que desde chiquito me inspira más confianza, que siempre estuvo de mi lado cuando todos los demás me exigían, una especie de cómplice secreto. Pero él me dice que la única solución es llevar una doble vida, que de hecho, a él le pasó lo mismo, que estas desviaciones es mejor ocultarlas y no balconear el asunto de nuestros "defectos", por el bien de todos. No sé, doctora, algo me dice que es injusto, que no puede ser que ahora que soy adulto, independiente, profesionista, todo un médico, ¿cómo que no voy a poder ser jamás yo mismo?, ¿acaso no hay un lugar en este mundo para mis sentimientos? Si es así, mejor de una vez me doy un tiro y acabo con esto. No entiendo que además de lo sufrido tenga que engañar ahora a una chava (y las hay a la mano bien dispuestas, se lo juro), pero, ¿por qué más daño? Sólo quisiera aliviar mi dolor, no hacer lo mismo con otro ser humano. ¿Estoy mal? ¿Estoy equivocado? ¿O de plano vengo sobrando en esta historia en que parezco un monstruo?

Ayúdeme por favor, estoy desesperado.

La doctora responde...

Perteneces a las minorías. Es decir que el 90% de los hombres en nuestra sociedad gustan de las mujeres, y tú formas parte de ese otro 10% (mundial) que ama a los hombres. Si este porcentaje lo cifráramos para otra cosa no sería problema. Es decir, parece que a nadie le importa que un 10% de las personas tengan una fortuna que podría solucionar el hambre del 90% del planeta pobre. O sea, que ser minoría puede significar también ser especial o privilegiado, no tarado. De la misma manera que si te digo que el 10% de las personas que tienen una inteligencia superior a la masa común son superdotadas. Por tanto, ser de una minoría no significa por fuerza ser menos. Pero curiosamente en el caso de la sexualidad, las minorías son perseguidas, mal vistas, humilladas, satanizadas, mal toleradas y sobre todo incomprendidas. Tú no pediste ser homosexual, así naciste y así eres. Por ignorancia, la sociedad ha preferido llamarlo vicio, desviación, perversión, o ya en plan muy tolerante dicen –como tu tío– que se trata de un defecto. Imagina que a una persona de raza negra le dicen que mejor lo disimule o que se esconda, o que de plano no sea negro porque a los blancos les molesta. Suena absurdo ¿verdad?, pues esto es lo mismo. Ser homosexual no es un capricho, viendo lo que se sufre asumirlo a nadie se le ocurriría optar voluntariamente por un camino tan tormentoso y sin privilegios. Tampoco es un vicio, forma parte de la diversidad humana, y quien no entienda que los humanos somos diversos tiene un gran problema cultural, le faltan datos y los prejuicios lo ciegan. Mucho más bondadoso me parece tu sentimiento de ser auténtico, de no engañar a una mujer disfrazado de marido, en verdad es mucho más ético y moral —sí, moral— que no la pretendida tapadera de "sepulcro blanqueado" que te aconsejan. Eres un ser humano de pleno derecho, pero eres tú el primero que tiene que saberlo antes de poder explicárselo a los demás, y de cualquier modo no todos lo entenderán, pero ése no es el problema, el asunto es que tú lo entiendas. Nadie te puede pedir que renuncies a ser lo que eres, a tu naturaleza, a tu esencia misma como persona, afectiva y vitalmente. Menos te puede pedir como virtud que dañes a otra persona, ¿con qué derecho? Fíjate cómo ésta es una de esas ocasiones en que, por intentar hacer un bien, se realiza un mal mucho mayor. Ojo a este tipo de soluciones malsanas. Lo de tu familia no es tan grave como crees. Te digo por experiencia que, con el tiempo, todos acaban aceptándolo. Pero ahora sería importante que te independices verdaderamente, que hagas tu propia vida aparte, que te unas a algún grupo de apoyo gay, y luego vendrá lo demás. No estás solo, y no eres ningún monstruo: monstruoso es negar la naturaleza humana.

> *...quien no entienda que los humanos somos diversos tiene un gran problema cultural, le faltan datos y los prejuicios lo ciegan.*

AYUDAR A UNA LESBIANA

Alejandra, 23 años, estudiante,
Naucalpan, Estado de México

Hace unos días me di cuenta de que la mejor amiga de mi hermana es lesbiana, y no sé cómo ayudarla. No sé si deba ir con algún doctor o con un psiquiatra para que la ayude a cambiar. La verdad no puedo creerlo. Siento como si algo de medicina, no sé, hormonas o algo por el estilo le pueda servir para cambiar. No sé qué aconsejarle. Por favor, doctora, dígame qué hacer para ayudarla.

La doctora responde...

Aprecio tu buena voluntad, pero tu ignorancia puede resultar el peor remedio. Ser lesbiana no es una enfermedad, y esto lo sabe la humanidad oficial e internacionalmente desde la década de los setenta. Si no lo es, no hay nada que curar. Que la quieras cambiar es una atrocidad en este sentido. Es como si alguien decide que tú mejor hubieras nacido varón o negra, por ejemplo, y me pide un tratamiento para hacerlo realidad. Calma tu preocupación porque al parecer es tuya y no de ella. Si de verdad quieres ayudar, respeta su manera de ser, como la tuya, y no andes repartiendo hormonas por ahí cada vez que alguien no sea igual que tú.

> *Si de verdad quieres ayudar, respeta su manera de ser...*

CONFESAR A LOS PADRES

Mariana, 26 años, contadora,
Culiacán, Sinaloa

Desde muy chiquita me di cuenta que era diferente, que a mí me atraían las mujeres y no los hombres como al resto de mis compañeras. Sufrí mucho por esto, fue una infancia dura y silenciosa, pero finalmente contacté a algunos grupos de apoyo, leí y me acepté hasta llegar a quererme como soy sin mayor conflicto. El problema es que pienso que mi familia nunca aceptará esto. Estoy viviendo en pareja, bajo el pretexto de que me conviene compartir la renta con una amiga. Sin embargo, no duermo pensando en que mi familia dice que las personas homosexuales son pervertidas, viciosas, anormales, que no merecen cariño ni respeto y que están excluídas del paraíso. Quiero decirlo, gritarlo, ser querida como el resto de mis hermanos por lo que soy y no por otra cosa. ¿Qué puedo hacer?

La doctora responde...

Comprendo perfectamente tu preocupación por ser querida con toda la verdad en tu familia. No obstante, yo te pediría que lo tomes con calma y te tranquilices. A veces la persona homosexual se obsesiona con el hecho de confesarlo, y es humano, pero no es exactamente una urgencia. Piensa también que en la vida de los heterosexuales no hay por qué compartir con padre y madre los detalles íntimos y de hecho no se hace porque traería más problemas que beneficios el hacerlo. Por supuesto que tienes derecho y es legítimo el anhelo, pero no urge, mejor paso a paso. Ellos no están preparados para esto, y la labor es otra y lenta; cambiar su mentalidad antes de hacer confesiones te llevará tiempo. No te aceleres, porque de hecho no tienes un problema con ello, estás viviendo tu vida, mintiendo —de acuerdo— pero bajo control tuyo. Te recomiendo que consultes experiencias que han tenido otros al respecto. En internet hay una página gay que te puede ayudar mucho en este aspecto: *www.chueca.com*, en ella entra a Noticias, luego busca el apartado que dice *Documentos*, y ahí verás más de uno que señala exactamente qué hacer y cómo salir del clóset con la familia. Tendrás que hacer primero algún ensayo, examinar tus motivos, buscar el momento y estar preparada para las respuestas típicas que te irán dando, pero en verdad no es tan difícil como parece a primera vista. Aprovecha los buenos consejos de quienes ya pasaron por esto, sin prisa, pero sin pausa.

> *...la persona homosexual se obsesiona con el hecho de confesarlo, y es humano, pero no es exactamente una urgencia.*

¿CUÁNDO VOY A MORIR?

Isaías, 20 años, empleado,
Torreón, Coahuila

Hace dos años que me detectaron VIH en la sangre, pero no presento aún ningún síntoma de SIDA.

En principio no me preocupó porque preferí negarlo y continuar con mi vida normal; nadie lo sabe, llegué a creer que incluso ni yo mismo, que era un sueño, aunque desde luego nunca más volví a tener relaciones sexuales. Pero a medida que pasaba el tiempo, esta idea de estar condenado era como una sombra. Ahora me obsesiona la muerte, ahora quiero hacer planes de vida y no me atrevo. Doctora, confío en que usted me diga la verdad, ¿cuánto tiempo me queda de vida? No quiero mentiras, quiero la verdad.

La doctora responde...

Quieres un cifra para quedar tranquilo, y no existe. Me pides una fecha como si fuera adivina con una bola de cristal donde aparece el día y la hora en que nos vamos de aquí. No faltará quien te ofrezca este tipo de augurios por un "módico" precio, pero te estará engañando, querido Isaías. Ten cuidado en estos momentos con los vendedores de sueños porque siempre se aprovechan de los débiles y los angustiados, y tú lo estás.

El ser seropositivo significa que en el suero de tu sangre está ya presente el virus del SIDA, el VIH, que te contagiaste y lo portas. Normalmente este virus tiende a reproducirse y se multiplica, siendo cada vez más fuerte y tus defensas cada vez más débiles, pero ¡ojo con las generalizaciones y las adivinanzas! Porque no siempre es igual.

Aunque seas seropositivo, el llegar a desarrollar la enfermedad del SIDA puede tardar en tu organismo: días, semanas, meses, años… o no ocurrir jamás. Y no te estoy engañando, ni consolando, ni asustando ni creando falsas esperanzas. A nadie menos que a mí le gusta "dorar la píldora" o "hacer la barba", ¿qué caso tiene? Las mentiras son nefastas siempre porque nos impiden gobernar nuestras vidas. Seguramente por una mentira o una desinformación —que es lo mismo— llegaste a contagiarte. Ahora mejor enfrentemos el panorama.

El virus en tu sangre va a sostener una lucha por reproducirse contra tus defensas, contra tus linfocitos (que así se llaman esas células que te protegen), o tu inmunidad, que es lo mismo. Los resultados de esa batalla varían en cada persona. Tienes la suerte de ser joven, con lo cual tus probabilidades de resistir el embate aumentan. Es importante que lleves un control permanente de tu cifra de linfocitos con el doctor, ya que ahí sí podemos ver los límites peligrosos que te ponen en riesgo. En estos momentos los mantienes altos y te sientes bien. A partir de determinado conteo pensaremos que las defensas están demasiado bajas y que pueden aparecer síntomas de ahí en adelante. Síntomas que tampoco son la batalla perdida definitivamente. Ten en cuenta que el SIDA no es una enfermedad como tal, sino un síndrome (conjunto de síntomas). De hecho, se llama Síndrome de Inmunodeficiencia Adquirida, y de ahí las iniciales SIDA (AIDS en inglés). Se trata definitivamente de enfermedades comunes que uno de pronto no resiste: desde gripes y neumonías hasta algún cáncer que en otras circunstancias podría ser curable. Esto es lo que tienes que vigilar, siempre cerca de tu doctor.

Cerrar los ojos no hace desaparecer el problema, en cambio abrirlos te puede llevar a controlar tu salud, tu medicación, tus cuidados, tu alimentación y los riesgos a los que te expones. Y no te miento, existe lo que se llama "supervivientes", es decir personas que tienen VIH desde hace ya más de diez años y no han desarrollado el SIDA ni lo llegan a desarrollar nunca. Son unos pocos, pero uno es uno y no una estadística. El doctor ha de ser ahora tu compañero y confidente, tu asesor y vigía, tu aliado. Te necesito fuerte, más que nunca para esta batalla, porque incluso el estado emocional repercute en lo altas o bajas que estén tus defensas. Tú estás vivo, no muerto, y quiero que sepas que literalmente "vives con VIH".

> *Ten cuidado en estos momentos*
> *con los vendedores de sueños*
> *porque siempre se aprovechan de*
> *los débiles y los angustiados*

"CUERNO" Y BISEXUALIDAD

Marisol, 27 años, directora de ventas,
Distrito Federal

Tengo relación con un hombre que es bisexual.

Convivo con él desde hace tres años. Ahora me confiesa que sostiene una relación con su anterior pareja (hombre) que también es bisexual. Me propone que realicemos entre los tres nuestra fantasía sexual, pues yo también le confieso que soy bisexual, aunque no tanto como él. Esto me ha traído mucha confusión. Me dice que sólo me ama a mí, que la otra persona sólo le interesa como fantasía erótica para llegar a esto que me propone. Pero la verdad, no sé como reaccionar. Me ha afectado mucho más de lo que me imaginaba, pues al tener relaciones con él ya no siento la misma satisfacción que antes. También me repercute en mi vida práctica porque me distrae y no dejo de pensar dolorosamente en esto todo el tiempo. Doctora, estoy dispuesta a todo con tal de tener una buena relación con mi pareja porque lo amo.

Ayúdeme.

La doctora responde...

Muchas veces oigo estos pretextos bisexuales para justificar "cuernos" o promiscuidades tan contentos, y en verdad me hace mucha "gracia" la ironía del asunto. Ser bisexual no quiere decir infiel por fuerza ni que te cases con alguien a medias, ni que no te quede de otra que acabar con un trío. Un bisexual es una persona que siente atracción por ambos sexos, y posiblemente ejerza relaciones con ellos indistintamente mientras no establezca un compromiso. Pero si forma una pareja, al igual que cualquier otro sujeto, se supone que renuncia al resto (se llame Juan o Juana, me da lo mismo) y hace un voto de dedicación exclusiva para ti. Por la misma razón, un hombre heterosexual es alguien a quien le gustan sólo las mujeres, pero ¡todas!, y sin embargo, el pacto de fidelidad lo hace con una renunciando al resto. Fíjate si este sujeto manejara la teoría diciendo algo así: lo siento, vida mía, tengo más amantes porque yo soy heterosexual y me atraen todas las mujeres ¿Acaso no es un argumento estúpido? Te recuerdo que el sexo se ejercita con la piel, pero las decisiones se toman con el cerebro, no con el pene ni con la vulva. Una pasión sexual no puede ser pretexto para incumplir un pacto hecho con el cerebro, no con la bragueta. Comprendo que tu pareja tenga esta fantasía, como cualquiera puede tener miles de ellas, desde simples hasta las más abyectas (te dejo de tarea el pensar en las variantes sin límites de la imaginación cachonda). Pero el asunto es que la fantasía se llama así precisamente porque no es real, es una ensoñación fantástica, y se puede compartir con la pareja en la imaginación y el juego. Si lo llevamos a cabo ya no es una fantasía, será un trío, o una orgía o como quieras llamarle en cada caso. Quisiera que olvidaras el prejuicio de que él es bisexual y que tú eres bisexual, porque a la hora de valorarlo como sexóloga en cuanto a pareja francamente me importa un cacahuate ese detalle. Tú no te has casado con medio sujeto sino con un hombre entero y él lo mismo. Valora el asunto desde ti como persona que ama y es amada por otra persona. La fantasía sólo será válida negociándola y llevándola a cabo si no hace daño a alguno de los dos, y en este caso te sientes dañada. Díselo, compártelo, explícale para hacerle saber cuáles son tus sentimientos. Si te ama, valorar tu dolor será más importante que su calentura, puedes estar segura de ello. Así es el amor: el goce del otro, la felicidad del otro, y esto es igual seas homo, bi, hetero, o marciano.

> *No te has casado con medio sujeto*
> *sino con un hombre entero...*

DECIRLE A MIS PADRES QUE SOY GAY

Jerónimo, 23 años, estudiante de medicina,
Tampico, Tamaulipas

Estoy en apuros, doctora. Y necesito ayuda. Vivo una doble vida, en el clóset, ocultando que me atraen los hombres y sufriendo por esto en silencio desde que me di cuenta a los 8 años. Mi familia es muy conservadora y con claros signos de homofobia. En la casa son frecuentes las frases de: Si tengo un hijo así, lo mato, o prefiero verlo muerto, o eso sólo ocurre con padres degenerados, etcétera, etcétera; ya sabe, los comentarios por el estilo que abundan en las "buenas familias". Pero ya no puedo más, ahora es peor. El tiempo ha pasado y cada vez me alejo más de ellos, por momentos siento que los pierdo como familia aunque sé que me aman y que los amo. Me presionan para que me case, para que tenga novia, me presentan hijas de otros amigos, me preparan encerronas a ver si me animo. Ya toqué pared con este asunto y es insostenible. ¿Cómo puedo hablar con ellos? Yo sé que usted me va a echar la mano, porque de no ser así mejor me mato.

La doctora responde...

Tranquilo, Jerónimo, vayamos por partes antes de precipitar los acontecimientos. Lo primero es que sepas que en este proceso doloroso por el que atraviesas no vas a estar solo, es importante. Necesitas un grupo de apoyo para afirmarte como persona, para quererte a ti mismo y, entender y asumir tu homosexualidad no como una enfermedad contagiosa ni como una tara, sino como parte del espectro de la diversidad humana. Eso es lo primero y lo más urgente, no el hablar con tus padres aceleradamente y sin saber ni tú mismo quién eres. Si te precipitas en estos pasos será peor, porque no sólo te rechazarán sino que ni siquiera podrás defenderte ni convencerlos, ni ayudarlos a asumir esta verdad humana, y lo peor: tu autoestima se destrozará con las acusaciones que te hagan y entonces tal vez sí pienses erróneamente en suicidarte porque no encuentras salida. Una vez que hayas trabajado en ti mismo, entonces puedes ir estudiando la estrategia para hablar con tu familia. En este aspecto, te serán de mucha utilidad unos libritos que se ocupan exactamente de esto, unas guías que han funcionando estupendamente a nivel mundial. Otra buena opción es, también bajar, de internet otras guías de apoyo para hablar con la familia, esto es gratuito y encontrarás documentos para explicar a los padres cosas como: que soy gay, que soy lesbiana, que soy bisexual, que soy travesti, que soy transexual. No te apresures, amigo, trabaja en la tarea de existir progresivamente, por partes, y tómate tu tiempo seleccionando las verdaderas prioridades. Finalmente llegarán a aceptarte, de una manera u otra, aunque ahora lo veas imposible; todos lo hacen y esto te lo van a decir los expertos que han vivido tantas y tantas historias como la tuya. Cuando tú estés seguro, sabrás de pronto curiosamente que son ellos los que necesitan ayuda para entender, que sólo la ignorancia y los prejuicios los detienen, que sólo el miedo los enferma de rechazo, pero te aman sin remedio por encima de todo. Ayúdalos cuando estés fuerte. Y si no, de cualquier modo, recuerda aquel principio de la filosofía gay: Prefiero ser odiado por lo que soy, que amado por lo que no soy.

> *...el miedo los enferma de rechazo...*

DESDE LA CASA CHICA

Lolita, 28 años, contadora,
Distrito Federal

Creo que me enamoré de la peor manera del mundo. Conocí a un compañero de oficina que siempre se quedaba conmigo al terminar. Logró conmoverme al contarme que era muy desgraciado en su matrimonio, que su mujer tenía una enfermedad mental incurable, lo agredía y le hacía la vida imposible, pero que él sentía mucha compasión por ella y no podía abandonarla en ese estado, además de que tenían un hijo de 3 añitos y no se merecía un hogar destrozado. Así fui día tras día enamorándome de él, de su soledad tremenda, de su desgracia, siendo su confidente, su amiga, la esposa que nunca tuvo porque me convertí en su amante.

Me puse un departamento y dormía conmigo hasta las dos de la madrugada en que regresaba a su casa para guardar las apariencias, así como los sábados y domingos en que lógicamente tenía que dedicarse a la familia para que su esposa no empeorara. Me explicó que dormían en cuartos separados desde años atrás porque ella era capaz de matarlo en uno de sus ataques demenciales, que no me preocupara, que yo era la única mujer de su vida. Nunca quiso enseñarme una foto de ella porque decía que le avergonzaba el aspecto horripilante que mostraba debido a su locura y... ¿qué cree, doctora? Por una casualidad del destino conocí a una amiga de la susodicha señora y se descubrió el pastel. Al saber la verdad creí volverme loca, me golpeé contra las paredes, me arañé la cara, en fin, ni sé lo que me produjo el arrebato y espero que lo comprenda al explicarle las cosas. La señora es bella, muy bella, con mejor cuerpo y cara que yo (y eso que a mí me la vieron), y ni está ni jamás ha estado loca, ni siquiera nerviosa o algo neurasténica, su único mal es llevar "cuernos" por mi culpa. Duerme cada noche —aunque tarde— con su esposo, con mi hombre, en una cama "king-size" de la que presume a sus amigas por las proezas sexuales que el marido realiza. Ahora la esposa está embarazada, ¿qué hago?, ¿me mato?, ¿la mato?, ¿lo mato? No sé ni por dónde empezar. Ayúdeme doctora.

La doctora responde...

Te ayudaría querida, pero a comprenderlo, no a cometer un crimen ni mucho menos suicidio. Este sujeto es el tipo ejemplar del macho, con una conducta clásica de la que deberías haberte alertado. Pero no hay peor ciego que el no quiere ver. Todos los casados juran no dormir con sus esposas y no es cierto, duermen con dos, o con tres y más si te descuidas, ellos no se privan de nada ni les duele nada, mientras que ellas —la esposa y tú en este caso— tienen que conformarse con tener vidas a medias, hombres a pedazos. Ella, por un marido que llega tarde; tú, por un amante que se va pronto. Las versiones de la esposa que te cuentan los casados para seducirte pueden variar, pero no mucho, tampoco son tan imaginativos estos especímenes: no me comprende, es frígida, me agrede, me tiene abandonado, me engaña, no me da de comer, me amenaza con los hijos, padece del corazón o de los nervios como en este caso. Y no hay mucha más variedad en los pretextos para llevarte al catre y tener por su cara bonita (que ni siquiera la suelen tener) una cama alternativa. Pero si lo piensas bien no es que tenga dos vidas, es que no tiene ninguna porque todas las vive a medias, es un pobre pendejo que a veces tiene que comer dos veces y engordar como cerdo para guardar las apariencias en ambas casas. Es un mal padre y qué bueno que no te hizo un hijo para visitarlo entre semana y ponerte luego el cuerno con otra amante que le dé más morbo, porque acabas siendo tan santa como la esposa. Te aseguro que si lo sorprenden contigo inventará historias similares sobre tu persona para justificar su cercanía: que eres suicida (casi se le hace) y te estaba echando la mano, que eres una pobre tonta, etcétera, etcétera. Mordiste el anzuelo y amaste a quien no te amaba bien. Te mereces más, amiga. Te felicito por haberlo descubierto y más te quiero felicitar por sacar de tu vida a ese elemento. Otras caerán mientras tanto y él irá llevando enfermedades de casa en casa hasta que todas tengan una misma verruga vaginal como si fueran hermanas. No hace falta que lo mates, no arreglarás nada porque hay muchos así, y sería mejor plantarles cara para no permitir jugar con vidas ajenas, con sueños y esperanzas. Sería bueno ponerse de acuerdo entre todas y dejarlo solo hasta que reflexione y decida ser honesto. Sólo un miserable negocia con el dolor ajeno para frotar un rato el cuerpo. Sácalo de tu vida simplemente, deja tu corazón libre para alguien que sea sólo tuyo, los hay, te lo aseguro, pero no los viste porque estabas muy ocupada con el payaso, ¡pobrecito! Tú encontrarás la felicidad pero para él va ser muy difícil porque se miente a sí mismo y lleva una vida inventada, nadie lo quiere al final porque nadie lo conoce y ustedes se relacionan con una máscara, ¿has visto mayor desgracia? De matarla a ella, nada; mejor siente compasión de tu hermana de "cuerno", al fin y al cabo es tan víctima como tú de este chango. Y de matarte tú, ni hablar, ¡sólo eso faltaba! Hay mucho que hacer amiga, y mejor aprovechamos el tiempo. No te quedes resentida, esto no lo vas a lograr de momento pero sí día con día, poco a poco. Aprovecha este trance para cambiar un poco de estilo de vida, tus rutinas, tus horarios, tus diversiones, tu aspecto, recupera amigas, conoce gente de otros ámbitos. Te recomiendo los círculos culturales de cosas que te atraigan: cine, literatura, pintura, internet, fotografía, etcétera. Ahí las relaciones por lo menos parten de algo más en común que la nalga.

> *Sólo un miserable negocia con el dolor ajeno para frotar un rato el cuerpo.*

LA SOLEDAD DE UN CAMPESINO "RARO"

Alejandro —no sabemos edad—, campesino,
Jocotitlán, Estado de México

Apreciada doctora:

Yo soy un campesino que busca a otra persona que tenga o sienta o lleve muy escondida su homosexualidad. Doctora, es usted una persona que inspira amor, confianza, cariño y nos da la fuerza para ir desnudando esos miedos que llevamos. Yo soy un simple hombre de campo; vivo envuelto en el silencio y la tranquilidad. Fui educado al modo antiguo, con regaños, azotes, trabajo duro. Que si entonaba cualquier canción, que por qué cantaba las canciones de Juan Gabriel, etcétera. Fui creciendo, doctora, como un claro hombre, un hijo ejemplar, sin vicios, ni alcohol, ni bailes. Pero en este hombre varonil yo siento que hay una mujer. Y me cuesta un sufrimiento tremendo aparentar que soy lo que parezco, y nadie lo sabe. Un día se me ocurrió, en una confesión, comentarle al padre del pueblo, pero recibí un regaño tan grande que me hizo pensar que yo tenía un monstruo en mí, y desde entonces comenzó mi duda. Pero el padre no sabe, no entiende que yo no siento ninguna atracción por las damas, y que irresistible e irrefrenable es mi atracción por algún amigo. Yo llevo una vida simple, doctora: trabajo en la siembra del maíz o trigo. Toda mi familia me quiere y yo sé dentro de mí que no es malo lo que siento; que nací diferente a mis hermanos y hermanas. Yo no sé si la palabra "gay" sea para mí porque no he tenido ni siquiera esa experiencia, pero no es curiosidad, doctora, no. Yo siento que no podría ser un esposo. Ya hasta hice mi ranchito y pensé que con el tiempo esto que siento se me iba a quitar, pero es cada día más fuerte. Ayúdeme, doctora. Yo quisiera conocer a alguien como yo, pero no quiero conflictos, por la familia, la sociedad y el temor de uno mismo a enfrentarse a la culpa de haber recibido una educación y no responder como un buen hijo y lo que es peor, avergonzar a nuestras familias ante sus amigos. Que alguien me escriba, por favor, aunque sea sólo para saber que no estoy solo.

La doctora responde...

Mi estimado Alejandro:

Es muy distinto sentir lo que tú sientes en una gran ciudad, que en una comunidad pequeña. En ésta las morales (que deciden los hombres) casi no varían, y las leyes del abuelo siguen imperando para un mundo que se nos fue de las manos. En ambos lugares, aunque la ley escrita sea la misma, la ley de las costumbres y los prejuicios es otra, mucho más dura en el pueblo; también más ignorante respecto al rapidísimo cambio del mundo y los nuevos descubrimientos.

En tu comunidad no saben, tal vez no les han dicho o no les ha llegado noticia, que sentir atracción sexual por alguien de tu mismo sexo (homosexualidad) ya no está considerado enfermedad en ningún tratado médico desde los años setenta. Tampoco es admisible considerarlo un vicio, puesto que no proviene de una degeneración de costumbres (en tu caso, por ejemplo, ¿cuál costumbre si eres casto aún?). Nadie elige ser homosexual, pero tampoco ser heterosexual y que te gusten las mujeres como a la mayoría. Es cuestión de números: un 10% de la población del mundo es homosexual. Parece poco, pero es mucho, millones de personas como para no tomarlo en serio. Hoy se sabe que esa preferencia la traes desde muy chiquito: "Yo nací diferente", me dices en tu carta. Malos tiempos, los presentes, en tu pueblo para hacerles entender tantas cosas de un golpe. Aunque resulte increíble, una vez estuve en un seminario donde los futuros sacerdotes me pidieron una conferencia sobre homosexualidad; sabían que no podrían entender esta cuestión, y que ello los invalidaba para ejercer su labor como pastores entre el género humano. Ojalá tu párroco hubiera estado en aquel encuentro pero, una vez más, la información no llega a todas partes, tampoco a ellos, humanos y limitados como todos a fin de cuentas.

Paralelamente, te diré que me sorprende tu gran cultura, hermano. Tus adjetivos cultos y hermosos cuando describes con gran propiedad de lenguaje cosas como: "Y qué irresistible e irrefrenable es mi atracción por algún amigo". También me impacta la certeza de tu moral interna, esa con la que nadie puede juzgarte porque tu fuero más profundo sabe de la ética: "yo sé muy dentro de mí que no es malo lo que siento". Me preguntas por la palabra gay. No, tú no lo eres (de momento). Gay es un homosexual orgulloso de serlo y tú no lo estás. Pero es que, simplemente, te hace falta compañía para dejar de sentirte un perro verde.

Lee sobre la homosexualidad, es importante que tú lo entiendas para ponerte en paz contigo mismo, y luego decidir lo que te convenga.

Mientras tanto recuerda: los derechos humanos son de todos, ser homosexual no es un delito ante la ley y no has fracasado porque no fallaste. Tal vez el mayor fracaso es que ellos no puedan entender que existe la diversidad humana. Simplemente eres raro. Amigo, todos somos raros en algo, lo que pasa es que no nos hemos dado cuenta o no hemos podido contárselo a nadie por miedo a ser juzgados. Tú sí has podido, ya es ganancia.

> *Gay es un homosexual orgulloso de serlo*
> *y tú no lo estás.*

MATRIMONIO GAY

Rubén, 22 años, estudiante de biología,
Distrito Federal

Yo soy homosexual, doctora, y lo asumo sin mayor problema. Tengo la suerte de haber sido aceptado así por mi familia que lo comprende y lo respeta, además de gozar de una muy buena relación de pareja con Miguel, que ya tiene más de dos años en la que ambos crecemos día con día. Pero mi problema es otro. Me pregunto si por nacer homosexual no voy a poder gozar jamás del privilegio de la paternidad, de criar un hijo, que es uno de mis sueños más preciados. Disfruto con mis sobrinos y los miro con envidia hasta que se me saltan las lágrimas. ¿Por qué la vida me deja fuera de este juego?, ¿qué delito he cometido yo para no tener derecho a lo que tienen todos los demás humanos? Por supuesto sé que biológicamente es posible (a mí no me falta nada), pero me refiero socialmente. ¿Puedo tener esperanzas de engendrar o adoptar algún día un hijo, doctora?

La doctora responde...

Querido Rubén, verás que socialmente hemos avanzado mucho en cuanto a derechos humanos de las personas homosexuales y demás minorías, y no es de extrañar puesto que suponen un 10% de la población mundial, es decir, que sólo en la ciudad de México se calcula que existen más de dos millones (y quedo corta al no contabilizar los que viven en el clóset). Sin embargo, el tema de la adopción es algo a lo que se resiste la mayoría de las culturas, incluso las más avanzadas en el mundo en cuanto a derechos sexuales de minorías. Hay países que ya que tienen una Ley de Parejas de Hecho, incluso, matrimonio homosexual legalizado para gays y lesbianas, pero que restringen la crianza de los niños. Yo diría que hay miedo. Temor que en un principio es benéfico si pensamos en crear estructuras que permitan a nuestros niños las mejores garantías. Pero finalmente es un miedo exagerado o más bien injusto y parcial, porque resulta que a otros niveles la sociedad no cuida esto en absoluto. Es decir, para tener un hijo a nadie se le pide licencia, ni capacitación, ni pasa un examen, ni siquiera un curso como esa payasada de los prematrimoniales. Basta con un óvulo fértil y una eyaculación de otro oportuna. Eso los convierte en padre y madre ¡qué risa!, porque resulta que no existe ninguna garantía de que estas personas, aunque fértiles, sean aptas para criar y educar a un chamaco. Nadie limita gestar a las madres golpeadoras y desquiciadas (que las hay), a los padres irresponsables y violentos, a los degenerados en sus valores humanos, a los traficantes de sus propios hijos, a los explotadores de niños que paren como negocio. O de otro modo, cómo se explica que, por ejemplo, en nuestra tradicional familia, un 10% de los niños son abusados sexualmente en la casa, por el padre y el padrastro fundamentalmente y eso siendo tan "normalitos" y perteneciendo a las mayorías con licencia para fundar clanes. Es decir, yo estaría de acuerdo con que la sociedad vigile la estructura familiar en la que crece un niño, pero la de todos, no la de unos pocos. Ser homosexual no significa estar incapacitado para educar. Algunos alegan que con ese ejemplo el niño tendería forzosamente hacia la homosexualidad al ver los patrones de pareja, pero esos son comentarios ignorantes, no es cierto, y la prueba está en que los homosexuales (como tú) son hijos de parejas heterosexuales, y ya ves que no se te pegó nada de ese modelo. Creo que la estructura necesaria para la crianza requiere de sostener unos valores, los que sean (tradicionales, avanzados, ancestrales, liberales, elásticos, cambiables, históricos, no importa), pero coherentes (no dobles ni de caretas), además de un marco que permita darle alimento, vestido, salud, educación y sobre todo amor, ésta es la gran baza. Esperemos que las sociedades reflexionen al respecto y tengamos más suerte en los próximos años. Mientras tanto, la opción puede ser ponerte de acuerdo con una mujer para engendrarlo, bien naturalmente (aunque suponga un acto heroico) o bien con reproducción asistida fecundándola con tu semen. Pero ¡ojo! Esto resuelve lo biológico en cuanto a que continúes tus genes, pero te digo por experiencia clínica que los malos acuerdos entre este tipo de parejas de conveniencia acarrea peores males y mayor inestabilidad que los beneficios que procura. Te deseo suerte, amigo, el futuro ya ha llegado y nos esperan sorpresas.

> *Ser homosexual no significa estar incapacitado para educar.*

ME DICE QUE NO SIRVO

Ana Laura, 25 años, ama de casa,
Los Mochis, Sinaloa

Tengo cinco años de casada y dos hijos. Para cuando le llegue este mensaje, mi esposo ya me habrá abandonado porque hoy me dijo que se marcha mañana. Lo pierdo todo, doctora, y creo que lo pierdo por hablar más de la cuenta. Yo cometí el error de confesarle que no siento nada en el sexo, que hasta me molesta porque parece que llega nada más a satisfacerse conmigo y ya.

No hay un beso, ni una caricia, ni una palabra, y cada vez menos en este tiempo. Hablé con él y fue peor. Ahora dice que se va porque no sirvo. Tal vez tenga razón y no sirvo, pero entonces ¿qué hago?, ¿qué va a ser de mí? ¿Nunca nadie me va a poder amar? Dicen mis amigas que mejor me hubiera callado como hacen ellas, y aunque no sintiera nada le hubiera dicho que sí, que para las mujeres es fácil disimular. Dicen ellas que la hombría no soporta este tipo de cosas y que todas tenemos que mentir para que no nos dejen, que así es la vida y que no hay de otra. A mí no me parece justo, pero igual y yo soy la equivocada, dígamelo usted, doctora, que sé que es franca y no le tiene miedo a las palabras.

La doctora responde...

Ojalá ya se haya ido de una vez tu esposo para cuando leas esto, y lo llamo "esposo" por gentileza porque no merece tal nombre, ni el de "hombre" siquiera; pero dejémoslo ahí porque eres tú quien me preocupa. Eres una nena de apenas 25 años y alguien trata de convencerte de algo tan estúpido como si fueras lavadora, licuadora o tele. Te recuerdo que eres una persona, no un objeto al servicio de alguien. En todo caso, sería interesante que te lo preguntes respecto a ti misma, no respecto a este... gañán, bruto y analfabeto de la relación humana. Para lo que él quiere, yo le recomiendo masturbarse, porque la mano no se queja, no opina, no existe, y no la tiene que complacer. Otra opción sería una muñeca inflable que tampoco se queja, que a lo más se poncha si la friega mucho y la puede reponer fácilmente comprando otra.

Pero en verdad que con un ser humano de carne y hueso no la hace. No me extraña que a estas alturas ya haya encontrado a otra, otra que como tú tampoco goza pero que da grititos falsos de placer diciéndole que es un héroe, un tigre, y de esta manera le saca la lana. En este sentido tendrían razón tus amigas en cuanto a que mintiendo sobrevives, pero no se trata de sobrevivir sino de vivir (no somos náufragos), y eso no puede ser con mentiras. Dice el refrán que no hay mujer frígida sino hombres inexpertos, y parece que este hombre jamás ha pensado en nada semejante. No eres ninguna enferma ni mucho menos inútil. El orgasmo de la mujer no se logra llegando a ella como bestia, penetrando y eyaculando en dos minutos; y la que simule que goza le está "viendo la cara" al señor, lo siento. Pero así viene ocurriendo desde hace mucho por desgracia. Ellas mintiendo, ellos creyendo lo que exigen creer, y todos mal. Si se hubiera preocupado un poco de saber lo que es una mujer, entonces se hubiera empleado en las caricias previas, en tu placer (que no es el de él), en hacerte feliz y no sólo en satisfacerse. Si ya me dices que hablaste y fue peor, entonces amiga te felicito por tu divorcio, lo siento si suena fuerte pero creo que no perdiste un hombre: ganaste tu libertad como persona y como ser humano pleno, eso eres, y no una cosa que caduca en su garantía y le faltan piezas. Ahora, finalmente ya no me preocupas tú que eres sincera y buscas lo auténtico; ahora me da pena él porque su ceguera egoísta le impide amar y entender que el otro está para darte y darle, que el resto es soledad y mentira. Pobre idiota, ojala algún día le caiga el veinte de este sencillo secreto del bienestar humano compartido. Para ti aconsejo que conozcas tu cuerpo y sus resortes (no los del otro), tu sensibilidad, tu placer, que te ames a ti misma porque una mujer no es un hombre defectuoso, es un ser distinto sin duda, pero con los mismos derechos, y quien no lo entienda está mal. Creo que la lectura de mis libros te pueden ser de utilidad. Leer es ampliar la mente, es ser más, y la realidad —como en tu caso— a veces trata de engañarte con que eres menos; no te dejes, no lo consientas. Tú estás bien, querida. Adelante, eres un bebé y te queda mucho, mucho más de lo que precariamente has vivido de mala manera. Te diré sin ánimo de estúpido consuelo sino honestamente, que también hay hombres magníficos, compañeros de verdad con los que merece la pena compartir y caminar juntos, que te crecen en vez de menguarte a cambio de nada. Éste no fue, qué pena, pero que sirva lo aprendido. Al fin los humanos somos sin remedio animales de experiencia.

> *...me da pena él porque su ceguera egoísta le impide amar y entender que el otro está para darte y darle, que el resto es soledad y mentira.*

ME HARTA EL AMBIENTE GAY

Leonardo, 39 años, arquitecto,
Distrito Federal

Soy homosexual, doctora, pero ése no es el problema porque me tengo perfectamente asumido y no dependo económicamente de nadie. Por fortuna en mi trabajo lo sabe la mayoría y me respetan, es decir, que no padezco el típico cuadro de verme burlado o marginado por la sociedad. Muy al contrario, mi problema es dentro del propio ambiente gay. Por momentos me siento cada vez más solo. Al parecer para personas como nosotros no existe otra opción que los antros, la promiscuidad sin sentido y meterse horas como malditos en los gimnasios porque en el momento que no tienes un buen cuerpo ni te saludan. Ahora comprendo lo que han tenido que sufrir las mujeres por siglos obligadas a ser bellas a riesgo de no valer nada. Yo siento que comienzo a envejecer, que aunque tengo buen aspecto quiero cultivar otras cosas en mi vida que no sean sólo la apariencia. A estas alturas yo ya me soñaba con una relación estable de pareja, tranquilo, leyendo y yendo al cine, paseando y viajando juntos, platicando de tantas cosas bellas de la vida y haciéndonos crecer mutuamente. Pero al parecer no es así. Todos los lugares de la ciudad de "ambiente" son fornicadores de "rapiditos" y luego "si te he visto ni me acuerdo". Ya me harté, doctora. Y me siento cada vez más solo sin esperanza de futuro. ¿Qué puedo hacer?

La doctora responde...

Tienes mucha razón en quejarte porque lo que planteas es cierto. Por desgracia ese mundo que describes detalladamente es lo que más abunda, pero no lo único, quiero que lo tengas presente. Sin duda, nadie va a una disco a hablar de filosofía, ni de ninguna otra cosa porque con la música sería inútil. Los homosexuales al haber vivido tanto tiempo en la clandestinidad, han desarrollado como buena parte de su cultura el encuentro rápido, el que apura el tiempo y a veces la falta de proyecto; pero no todos, insisto. Existen agrupaciones gays que se vinculan por otro tipo de intereses. En torno al Museo del Chopo por ejemplo la Semana Cultural Lésbico-Gay aglutina pintura, música, escultura, danza, poesía y literatura en general, *performance*, etcétera. Otros grupos trabajan en la lucha contra el SIDA, en el apoyo de los derechos de las minorías sexuales a todos los niveles, con voluntariado para dar apoyo telefónico gratuito, con reuniones alternativas frente al consabido "ambiente"; aquí incluso hay reuniones para gays mayores de 35 años porque, como tú bien señalas, a veces la manera de ver la vida y la problemática es otra que la que tienes con 18 años.

Acércate a ellos, nadie va a ir a buscarte a casa. Y sí se puede encontrar una buena pareja estable, sosegada y tranquila si te lo propones, no es fácil —nada es fácil— pero se puede, de ti depende. No te des por vencido que no estás solo.

> *...no es fácil —nada es fácil— pero se puede.*

MI AMIGA LESBIANA SE PASA

Angélica, 19 años, estudiante de Psicología,
Torreón, Coahuila

Mi consulta es urgente. Tenemos una compañera en la universidad que tras un año de amistad nos platicó su atracción por las mujeres. Nosotras decidimos apoyarla sin límites, pero últimamente nos han incomodado algunas situaciones y estamos confundidas. Por ejemplo, en el grupo no podemos hablar de chicos que nos gustan porque a ella esto le molesta pues los odia como hombres que son. Sin embargo ella sí puede platicarnos de sus relaciones lésbicas con toda comodidad sin que nade se queje. Doctora, estoy preocupada porque lo que más deseo es nos llevemos bien, pero si apenas esto empieza así ahora que está tímida con el asunto ¿qué va a ser de nuestra amistad cuando ella salga completamente del clóset?, ¿cómo actuaremos mis amigas y yo? Sabemos que en este momento y siempre ella necesita de nuestro apoyo, ya que sus padres la rechazan desde que lo supieron y nuestro grupo decidió ser su segunda familia. Pero ésta no ha sido la única incomodidad. Cuando vamos a medirnos ropa insiste en que nos cambiemos juntas y no sé si es paranoia pero siento que no nos observa como amigas. Espero una sugerencia o un consejo urgente.

La doctora responde...

Lo que más me gusta de tu carta es que consideres urgente el saber amar a alguien adecuadamente, esto es ejemplar por sí mismo. Felicidades en principio por ello, es una lección de humanidad sin duda. Pero... te diré. En la "adopción" que han hecho de la joven incomprendida han perdido el Norte, ustedes y ella. Por mucho que nos guste románticamente, los amigos no son una segunda familia, son amigos, tanto o más importante que lo anterior pero con distintas reglas. Es decir, la familia puede desechar a un hijo incomprendido, pero también puede absorber y perdonar sin juzgar a un hijo psicópata o asesino a cambio de nada, tan sólo por la pasión de haberlo parido. Sin embargo lo social, el círculo de los iguales, tiene unas sanas reglas de intercambio muy distintas. Das y te dan, o no funciona. En la situación de grupo que viven la regla del respeto mutuo es fundamental. Al parecer esta chava no lo entendió, le dieron la mano y se tomó el brazo. Pasó de ser comprendida en su diversidad sexual a imponer tiránicamente su modo de sentir a las demás. No regresó el regalo, no supo respetar de la misma manera las pasiones e identidades del resto. De manera equivocada e injusta impone dictatorialmente su persona al resto sin reconocer los derechos del otro, precisamente lo que ustedes le estaban regalando. Tendrá que aprenderlo porque aquí no hay compasión ni término medio, lo lamento. O das al grupo algo que le compense para ser querido o te verás rechazado. Esto hay que aprenderlo para sobrevivir en esta jungla porque "por la caridad entra la peste". El abuso se produjo porque ustedes también cayeron en un sueño redentor, en un delirio afectivo casi materno, que parecía dar todo a cambio de nada. Pero no funciona, insisto. Y la prueba la tienes en que ya se andan quejando lógicamente de la ausencia de recompensa emocional al respecto. Si fueran más parcas en la oferta de apoyo, definitivamente resultarían más honestas. Habrá que plantar cara al asunto y hablar frente a frente las cosas claras, lo que están sintiendo: yo te reconozco como diferente, yo te respeto (no te adopto), y te pido lo mismo para que me compense ser tu amiga y esto funcione. La patología es de ambas partes, revísenlo y no caigan en juegos fatídicos que destruyen la buena intención que originó el encuentro. Todos somos raros, todos somos especiales, todos somos incomprendidos, rechazados de alguna manera y solitarios, por eso nos juntamos y surge el grupo de los "iguales" para consolarnos. Eso habrá que explicárselo cuanto antes, de verdad, en vez de la mentira promisoria de "seas como seas y pase lo que pase", no es cierto, y el humano maduro debe de saberlo al dejar de ser cachorro. En cuanto a lo de desvestirse juntas, podrías tener razón, pero no se vale si la admitieron en el grupo como una igual, ¿o acaso las demás pueden compartir la intimidad y ella no? Si notas que te ve con ojos de deseo, el desear no es problema, al contrario es un halago, se trata nada más de que aprenda a respetar los límites y debe de hacerlo cuanto antes. Si la aman en vez de soñarla, sean claras y no anden conspirando incomodidades en silencio. La verdad es el mejor tesoro que tenemos, no dejen de disfrutarla porque ustedes sin duda son buena gente.

> *O das al grupo algo que le compense*
> *para ser querido o te verás rechazado.*

MI ESPOSA ES LESBIANA

Ismael, 37 años, editor,

Monterrey, Nuevo León

No sé si morirme o matar con la situación que estoy viviendo. Créame, doctora, que en estos momentos se junta en mí la desesperación y la agresividad, y no sé cuál de las dos es más fuerte. Acabo de descubrir que mi esposa es lesbiana, y no me diga que son figuraciones mías. Ya tiene años con una amiga muy cercana, su comadre según ella. A mí me pareció natural puesto que a las mujeres les gusta mucho estar juntas y hablar de sus cosas. Pero de unos meses hasta la fecha el tiempo que pasaba con ella llegó a ser excesivo, hasta el punto de desatender la casa, a mí, sus obligaciones familiares y a nuestros tres hijos. El colmo fue la semana pasada en que de plano no llegó a dormir. Cuando pensé en buscarla por los hospitales pensando que le había ocurrido algo, resulta que encontré una nota de ella, en un sobre cerrado junto al teléfono. Me decía claramente: "perdóname amor mío, soy lesbiana, siempre lo fui aunque tardé en saberlo yo misma". Me explicaba también que no puede con esta doble vida y que no tiene derecho tampoco de seguirnos engañando, que se iba, que abandonaba todo, pero que me quería aunque yo no lo pudiera entender, que me dejaba a los hijos porque se sentía indigna de afrontar esta situación y de verlos a la cara. El caso, doctora, es que al día siguiente regresó, no para quedarse definitivamente pero sí para platicar conmigo, y lo terrible es que confirma todo lo que decía su nota. La única diferencia es que dice que quiere hacer las cosas bien, salir dignamente de la casa y que busquemos una fórmula para platicar con los hijos y seguirlos viendo. Yo me estoy volviendo loco desde ese día. No creo que exista una manera digna para esta aberración que está cometiendo mi esposa tras 15 años de matrimonio, no quiero que los hijos sepan nada de esto y se avergüencen de su padre y de su madre de por vida. Mi hombría está por los suelos, ¿se imagina cuando se enteren los demás de que ella me cambió por una mujer?, ¿qué clase de hombre soy entonces? Ayúdeme, doctora, es usted mi última esperanza y no quiero cometer una locura contra mí mismo o contra ella porque, aunque parezca increíble y contradictorio, yo sí la amo.

La doctora responde...

Desde luego es una situación difícil la que estás viviendo, no lo niego. La vida a veces nos pone a prueba en situaciones casi heroicas. Pero no estás solo, amigo, y si lo pensamos juntos las cosas no son tan graves como parecen. Lo primero que necesito es que respires profundamente para analizar la situación con objetividad, que ocupes un lugar sereno en tu mente, un puente, un territorio neutral justo en medio de los dos extremos que te atormentan: la agresividad y la angustia. El daño hacia ti mismo no resuelve las cosas, tampoco contra ella, y sobre todo ambos tienen la responsabilidad de unos hijos que merecen la pena como para que no los abandonen por cosas irreparables. Para empezar, tienes una suerte grande dentro de la tragedia: esta mujer te ama y es honesta contigo. No siempre es así. Hubiera sido para ella más fácil callar y hacer doble vida. Si han tenido tres hijos juntos, de seguro tienen muchas más cosas en común de las que crees, y en ellas quiero que te bases ahora. Ella no es lesbiana por capricho, nadie lo es, la vida no nos pide permiso para nuestra orientación sexual ni podemos elegirla, de la misma manera que tú tampoco elegiste voluntariamente el hecho de que te gustaran las mujeres, es algo que venía contigo simplemente. Creo que es importante que te pares a pensar algo que te señalaba su nota: ella tampoco sabía de esto, apenas lo descubre en su interior amordazado. Ten en cuenta que la educación de la mujer en una sociedad machista es lo suficientemente represiva como para que no tenga oportunidad de averiguar fácilmente sus sentimientos. Los niega, los aparta a un lado, y hace lo que se espera de ella: casarse y tener hijos. En ello hay un fracaso social que no da su lugar a los diversos sentimientos humanos, pero no hay un fracaso personal de ti como hombre, ni lo pienses. ¿Acaso sería menos agravio que te ponga los cuernos con el compadre? Yo creo que no, y sin embargo este último caso lo vemos todos los días. Aquí no hay culpables, ni ella ni tú, pero sí hay responsables y lo son ambos de cara a solucionar el presente y diseñar el futuro. No lo van a poder hacer solos, es humano, necesitan apoyo y orientación especializada. Yo te pediría, antes de que tomen algún tipo de iniciativa, que contacten con una asociación de Madres Lesbianas. Es gente seria y sensata que tiene años de experiencia en estas situaciones. Todo va a salir bien, para ti y para ella, también para los hijos. Las soluciones inteligentes, sensatas y civilizadas nos permiten recuperarnos del dolor y amarnos a nosotros mismos, única manera de amar lo que construimos en el pasado y amar a otras personas de aquí en adelante.

> *...la educación de la mujer en una sociedad machista es lo suficientemente represiva como para que no tenga oportunidad de averiguar fácilmente sus sentimientos.*

SOY UN GOLPEADOR, ¡AYUDA!

Mario Alberto, 32 años, contador,
Tijuana, Baja California Norte

Me cuesta mucho confesarlo, pero ya no puedo más: ¡soy un golpeador!, y de lo peor, por cierto. Intento cambiar una y otra vez. Me arrepiento, le juro a mi esposa que jamás volverá a ocurrir porque en verdad así lo pienso cuando estoy sereno. Pero es inútil, vuelve a pasar. Es como si de pronto me transformara en otro.

Le diré, doctora, que he llegado a hacer cosas horribles, a golpear el vientre de ella incluso cuando estaba embarazada, a romperle la nariz, a quebrarle más de un hueso. Muchas veces la azoté con el cinto, alguna vez con un cable, y un día llegué a ponerle la plancha caliente sobre la mano mientras ella planchaba mi ropa en la cocina. Ella es buena, nunca me acusó con nadie.

Incluso, de esta marca les dice a las vecinas que se la hizo sola por distracción. Pero yo creo que ya empiezan a sospechar de tanto accidente casual que tiene mi señora.

Le digo la verdad, casi preferiría que me denuncie en vez de que siga sumisa y callada, consolándome cada vez que me arrepiento, después de haberle partido la… Aunque acabe en la cárcel, pero que alguien haga algo, que termine con esto. Mis hijos lo ven, y alguna que otra vez les toca también a ellos. Yo la escuché a usted por la radio que estas cosas tienen que ver con la infancia. Y si lo pienso, la mera verdad que sí, yo… yo sólo tuve golpes.

De mi padre lo poco que lo conocí, de mi madre siempre, y de mi abuela aún más terribles. Recuerdo que sufrí, pero lo recuerdo ahora que usted lo mencionó, yo creí que lo había olvidado. Estoy llorando al recordar que incluso me amarraban a la pata de la mesa por días.

Ayúdeme por favor, ya no puedo con esto.

La doctora responde...

Sin duda, para los lectores resultará curioso que el golpeador pida ayuda en vez de la víctima. Ojalá siempre fuera así. Mario Alberto, creo que acabas de dar tú solo el primer paso para curarte: pedir ayuda, reconocerlo, saber que algo está mal y que ya no puedes solo, que las cosas se escapan de tu control. Primero quiero que sepas que todos, absolutamente todos los humanos, tenemos un instinto agresivo que nos empuja a ser violentos. Quién no ha tenido ganas de golpear a alguien, de patearlo todo, de matar incluso... Pero la gran diferencia está entre sentirlo y hacerlo. Entre estas dos cosas tiene que haber una respiración profunda, un contar hasta 10, y canalizar la ira hacia otro lugar en que no haya una víctima. Eso es lo que tienes que aprender a hacer. Por desgracia en nuestro medio, no eres el único. En el 60% de los hogares mexicanos hay violencia ejercida por el padre de familia.

Qué bueno que me cuentas de tu infancia. Cuando somos chicos lo aprendemos casi todo. Tus emociones fueron educadas en la violencia. Y a veces sin remedio, de adultos repetimos y repetimos la misma historia, exactamente la que les estás enseñando a tus hijos. Si no haces algo serán padres y madres golpeadores, y vuelta a empezar. Puedes pararle si te das cuenta, como tú lo has hecho. De otro modo, la historia nefasta es eterna. Quiero que sepas que estás enfermo, de nada sirve que jures que vas a dejar de hacerlo porque no es un vicio. Si estuvieras ciego, por ejemplo, ni modo que jures que vas a ver bien desde mañana para que funcionen mejor las cosas. Tú solo no puedes, y en la cárcel menos te vas a curar. No mencionas el alcohol, pero te diré que el 90% de estas situaciones están relacionadas con su consumo, con la violencia que genera en el cerebro estar de pronto "hasta las chanclas", estar harto y desesperado de tanta infelicidad, y buscar un chivo expiatorio que se coma tu ira. En la casa lo tienes perfecto: ella sumisa y callada que todo lo aguanta. Ni tú puedes seguir así, ni ella tampoco. Si te sirve de consuelo te diré que tu esposa también está enferma, es codependiente, con baja autoestima, incapaz de poner un alto a esta situación.

Ambos necesitan ayuda. Para ella te recomendaría un grupo de Adictos a las Relaciones Destructivas, donde pueden aprender a quererse cada quien y luego a quererse mejor entre los dos, de una manera constructiva para ambos, y responsable para con los hijos que tienen. Para ti sería importante un psicólogo, un tratamiento que remueva ese dolor del niño adolorido que llevas dentro en silencio, y por supuesto revisar lo del alcohol porque si eres adicto habrá que curar esto y de nada sirve el resto.

> *Cuando somos chicos lo aprendemos*
> *casi todo.*

SWINGER Y TRAICIÓN

Esther, 31 años, neuróloga,
Distrito Federal

Soy una mujer de mente abierta, exitosa en mi profesión y —según yo— en mi matrimonio, o al menos eso creía hasta ahora. Tengo 10 años de casada, sin hijos porque mi tiempo está todavía muy comprometido con mi trabajo y espero un mejor momento para la maternidad. Sin embargo como pareja ambos fuimos conscientes de que con el tiempo aparece la rutina y se hacen necesarios nuevos alicientes en el sexo. Mi esposo me habló de los *swinger,* es decir, de las personas que intercambian parejas para darle chispa a la vida. Leímos juntos acerca de esto y nos pareció una buena opción para darle amplitud a nuestro panorama erótico. Buscamos en una revista especializada y contactamos con una pareja que se anunciaba. Hasta ahí todo iba bien, doctora, la verdad que no me puedo quejar porque se trataba de gente agradable y con muchas cosas en común para nuestro estilo de vida. Los cuatro nos divertimos sanamente, entonces, aunque fuera en la cama, realizamos un montón de fantasías, y sin duda nos sirvió como matrimonio para excitarnos nuevamente, incluso recordando el encuentro. Pero el problema es que lo que yo creía una complicidad con mi marido no era tal. Acabo de descubrir que él se ve con ella a escondidas de mí y de su esposo por supuesto. Mi esposo lo niega, pero me consta y ya no tengo ninguna duda. A raíz de todo esto mi mundo se ha venido abajo. Me siento culpable por haber precipitado el desastre de nuestra pareja y no dejo de pensar que si yo no hubiera aceptado este juego, tal vez no hubiera ocurrido nada de todo esto. Necesito de su ayuda. ¿Fue un error o hubiera ocurrido de cualquier modo?

La doctora responde...

A pesar de tu elevado nivel cultural, Esther, tengo que señalarte que a veces somos muy inocentes e infantiles en las expectativas acerca de los temas íntimos. Los *swingers* no son solamente gente que se mezcla en la cama, y por desgracia esto ocurre frecuentemente en nuestro medio amparándose en un rótulo que no les pertenece. Los *swingers* tienen toda una ideología, una moral —por increíble que parezca— una filosofía y normas tremendamente estrictas para llevar a cabo estos intercambios sin dañar a la pareja. No son orgías sin más ni fantasías a lo loco. El proyecto de los *swingers* es evitar la infidelidad como engaño al mismo tiempo que ambos se permiten expandir su deseo de tener a otros, a otras, de ampliar el circuito sexual para evitar que se vuelva rancia la monogamia de una sola pareja sexual por los siglos de los siglos. Pero siempre como cómplices, siempre pactado y pretendiendo el bien común de la pareja, nunca como engaño, no como disculpa para entrarle a una cosa y en el fondo que "salga el chamuco" y hacer otra. De hecho los *swingers* serios, los que lo son de verdad, son parejas muy unidas, tremendamente sólidas y con una extraordinaria comunicación entre ambos hasta el punto de pactar sus fantasías en común en lugar de engañarse por separado; como dato te diré que el índice de divorcio entre ellos es muy inferior al de las parejas convencionales (que al fin se ponen el "cuerno"). Por ello creo que aquí le entraron a un juego sin la solidez suficiente para encararlo, casi como excusa silenciosa en lugar de ser honestos (al menos en el caso de tu esposo). Tal vez tendrían que haberse preparado más previamente antes de entrarle a una práctica que en caso de inmadurez de la pareja puede resultar peligroso. Es decir, haber pertenecido previamente a un club de *swingers* para platicar y compartir su filosofía antes que sus genitales en un intercambio precipitado. De cualquier modo, en México te costará encontrar grupos serios como los que te señalo (típicos de USA y sobre todo de Europa), porque frecuentemente le llaman así a cualquier cosa y no es tal y luego pasa lo que pasa. Pero definitivamente no te sientas culpable porque, en efecto, esta falta de honestidad hubiera pasado de cualquier modo, hoy o mañana, con este u otro pretexto. No existía el proyecto mental y la carne se lo tragó todo. Mi consejo es que platiques con tu esposo cara a cara y sin máscaras ni miedos, que entiendan juntos esto para llegar al fondo y saber lo que les está pasando como pareja. Si él persiste en mentir, entonces nada has perdido porque nada tenías a pesar del tiempo transcurrido. Como postre, no estaría de más un asesor profesional de pareja para ustedes en este asunto delicado. Inténtalo, y luego decides.

> *...fantasías en común en lugar de engañarse por separado.*

VIOLARON A MI HIJA, ¡SOCORRO!

Estela, 33 años, secretaria,
Chalco, Estado de México

Casi me da vergüenza reconocer lo que pasó y no supe darme cuenta. Soy madre soltera, y al fin pensé que había encontrado el amor de mi vida, además de que el hombre al que me uní era muy cariñoso con mi nena de siete años. Yo salía a trabajar tranquila, sabiendo que este hombre la recogía de la escuela y me esperaban juntos, ya que él en esa temporada no tenía un trabajo estable. Ahora sí me doy cuenta de que yo notaba en la niña una conducta extraña, retraída, solitaria, cada vez más callada. Empezó a rechazarlo y a no querer quedarse a solas con Julián, pero yo lo atribuí a que estaba creciendo y, al saber que no era su verdadero padre, tal vez la niña no entendía que se trataba de un hombre bueno. ¿Bueno? ¡Cuál bueno, el desgraciado!, maldito sea. Un día encontré sola a la niña llorando, él se había ido con un pretexto, diciendo que regresaba al rato, y hasta la fecha no he vuelto a verlo. La chiquilla escurría sangre entre sus piernas Pensé en una caída al estar solita, en un accidente fortuito, y la llevé al médico, aunque la verdad no le pude arrancar ni una sola palabra para saber qué había pasado. Quise morir, doctora, al oír lo que me dijeron (disculpe que no entre en detalles, pero me duele hasta recordarlo). El doctor ya le curó las heridas, tenía un desgarro. Pero mi niña ha dejado de hablar, doctora, está como en una nube, parece ausente, ida, con la vista perdida que parece que ni oye, ni ve, ni entiende. Ni en la escuela me la quieren ya, porque dicen que no presta atención y que retrasa al resto de los compañeros. Ayúdeme por favor, le diría que sólo quiero morirme pero no puedo hacerlo porque mi hija me necesita.

La doctora responde...

Claro que tu hija te necesita, Estela, y más que nunca en estos momentos. Comprendo que te carcome la culpa, pero a lo hecho, pecho, y me interesa el presente y el futuro de ambas; el pasado no podemos remediarlo, pero sí sus consecuencias. No quiero que te paralices en los remordimientos sino que te pongas las pilas más que nunca, porque te necesito fuerte ahora. El daño importante de tu hija no fue sólo el físico (que ya curó) sino el psíquico, el psicológico, el dolor en su alma, en su corazón. El adulto que la cuida y la protege, en el que ella confiaba, en el que tú le dijiste que confiara, la lastimó y mucho.

Quiero que sepas —por crudo que sea— que este abuso de seguro se había dado ya desde tiempo antes. La niña guardaba silencio porque el abusador siempre maneja un chantaje, primero emocional de secreto compartido, luego amenaza si lo dice, tal vez matarla o matarte a ti, cosas ante las que la nobleza de los niños hace que sufran como mártires en silencio.

Tendremos que aprender a observarlos, no sólo en sus calificaciones escolares, no sólo para ponerles la bufanda en invierno, sino en su carácter, en su alegría o tristeza. El aislamiento de un niño es siempre indicador de que algo pasa.

Tu hija necesita atención psicológica urgente. Su mente se ha desconectado como un mecanismo de defensa para no saber nada de lo ocurrido, para no recordar, para no decir, para no sentir un dolor que llegó a lo intolerable en sus entrañas. Sus síntomas son de autismo, una enfermedad mental que es preciso tratar de inmediato ya que en este caso no es de nacimiento sino reactivo, es decir originado por un trauma y hay muchas esperanzas de recuperarla.

Quiero que te dirijas a la Asociación para el Desarrollo Integral de Personas Violadas, A.C., es un grupo de ayuda que cuenta con psicólogos especializados y urge que lo hagas.

Estaremos al tanto, infórmanos, por favor. No estás sola, amiga.

> *...el pasado no podemos remediarlo,*
> *pero sí sus consecuencias.*

Este libro se termino de imprimir
En Junio de 2009 en COMSUDEL S. A. de C. V.,
en Real Madrid #57 Col. Arboledas del Sur
C. P. 14370, Tlalpan, México, D. F.

8258